L'eau,
le feu,
la lumière

DU MÊME AUTEUR

Monothéisme coranique et monothéisme biblique, Desclée de Brouwer.
Les trois voies de l'Unique, Desclée de Brouwer.

Traduction :

Le Coran, La Pléiade, Gallimard.

DENISE MASSON

L'eau, le feu, la lumière

d'après la Bible, le Coran et les traditions monothéistes

DESCLÉE DE BROUWER

© Desclée de Brouwer, 1985
76 bis, rue des Saints-Pères, 75007 Paris
ISBN 2-220-02549-7

ABRÉVIATIONS

Actes : Actes des Apôtres.
Amos : Livre du prophète Amos.
Apoc. : Apocalypse de Jean.
Bible : citée le plus souvent d'après la Bible de Jérusalem.
II Chron. : IIᵉ Livre des Chroniques.
Col. : Épître de Paul aux Colossiens.
Cor. : Coran : Traduction D. Masson (Pléiade).
I Cor. : Iʳᵉ Épître de Paul aux Corinthiens.
II Cor. : IIᵉ Épître de Paul aux Corinthiens.
Dan. : Livre du prophète Daniel.
Denys : (voir Pseudo-Denys).
Deut. : Deutéronome.
Ecc. : L'Ecclésiaste ou livre du Qohélet fils de David.
Eccli. : L'Ecclésiastique ou Livre de Ben Sira.
Éphés. : Épître de Paul aux Éphésiens.
Ex. : Livre de L'Exode.
Ezéch. : Livre du prophète Ezéchiel.
Gal. : Épître de Paul aux Galates.
Gen. : Genèse.
Hébr. : Épître aux Hébreux.
I Hén. (Enoch) : Le Livre d'Hénoch, version éthiopienne.
II Hén. (Enoch) : *Le Livre des Secrets* (version slave). apud :
« The Apocrypha and Pseudepigrapha of the Old Testament ».
R.H. Charles, Vol. II, Oxford, 1913.
H.G.R. : *Histoire Générale des Religions,* Quillet éd., 1948.
Is. : Livre du prophète Isaïe.
Jc. : Épître de Jacques.
Jér. : Livre du prophète Jérémie.
Jn. : Évangile selon saint Jean.
I Jn. : Iʳᵉ Épître de Jean.
II Jn. : IIᵉ Épître de Jean.
III Jn. : IIIᵉ Épître de Jean.

Joël : Livre du prophète Joël.
Juges : Livre des juges.
Lc. : Évangile selon saint Luc.
Lév. : Livre des Lévitiques.
II Macc. : IIe Livre des Maccabées.
Mal. : Livre du prophète Malachie.
Masson (D) : *Monothéisme coranique et Monothéisme biblique,*
1984.
Mc. : Évangile selon saint Marc.
Mt. : Évangile selon saint Matthieu.
Nbr. : Livre des Nombres.
Phil. : Épître de Paul aux Philipiens.
I Pr. : Ire Épître de Pierre.
II Pr. : IIe Épître de Pierre.
Prov. : Livre des Proverbes.
Ps. : Psaumes de David.
Pseudo Denys : *Œuvres complètes,* trad. Gandillac, 1943.
R.H.R. : *Revue d'Histoire des Religions.*
I Rois : Ier Livre des Rois.
II Rois : IIe Livre des Rois.
I Sam. : Ier Livre de Samuel.
Sag. : Livre de la Sagesse.
Soph. : Livre du prophète Sophonie.
S. Th. : Saint Thomas d'Aquin, Somme théologique.
T.B. : Talmud de Babylone.
II Thes. : IIe Épître de Paul aux Thessaloniciens.
I Tim. Ire Épître de Paul à Timothée.
Tite : Épître de Paul à Tite.
Zach : Livre du prophète Zacharie.

Nota : Les citations du Coran proviennent de la traduction de D. Masson :
Gallimard, Bibliothèque de la Pléiade, 1967 ; et collection Folio, 1980.

PRÉFACE

Les symboles, ancrés au plus profond de la nature humaine, s'inscrivent dans les éléments et les gestes, les plus communs, les plus simples, les plus accessibles. On étudiera ici, dans cette perspective : l'eau, le feu et la lumière.

Le symbole, en général, est un moyen d'expression qui utilise des matières, des objets, des phénomènes naturels en leur donnant une signification différente de nos perceptions habituelles, ce qui permet d'évoquer des réalités spirituelles et surnaturelles, à partir d'éléments concrets. Mircéa Eliade estime que « le seul langage religieux universel est celui des symboles » [1]. En effet, toutes les religions, dès la plus haute antiquité, usent de rites et de symboles comparables les uns aux autres. Le Judaïsme, le Christianisme et l'Islam les ont retenus en leur apportant des valeurs spirituelles nouvelles.

Le symbolisme offre la possibilité d'utiliser des images empruntées au monde matériel, concret, pour signifier des notions abstraites, non perceptibles aux sens ; la raison humaine ne peut les expliquer ; l'homme ne peut ni les pressentir, ni les exprimer d'une autre façon.

Il en est ainsi pour la création en « six jours » ; pour les expressions anthropomorphiques telles que : la main de Dieu, sa voix, sa face, sa colère, sa vengeance. D'autre part, des significations nouvelles, transposées sur le plan spirituel sont données à l'eau, à la lumière, au feu. Tels sont donc les thèmes que nous nous proposons d'étudier dans le présent ouvrage.

---

1. *Initiations, rites, sociétés secrètes*, 1958, p. 255.

Chapitre I

L'eau

L'eau, par ses effets dans la nature et ses applications d'ordre spirituel est porteuse de symboles antithétiques : elle évoque tour à tour, la vie et la mort ; un bienfait ou un châtiment divin. Dans son aspect positif, elle constitue, pour les croyants, un instrument de purification, d'intégrité retrouvée, assimilée à une seconde naissance. Cette vie nouvelle sera alors considérée comme le prélude ici-bas à une vie dans l'au-delà qui ne finira jamais.

On voudrait donc étudier ici le symbolisme de l'eau en se limitant aux aspects qu'il revêt dans les trois religions monothéistes : Judaïsme, Christianisme, Islam, d'après leurs traditions respectives.

L'eau est un élément essentiel à toute vie ; elle peut aussi devenir une expression de la colère divine ; d'un châtiment qui entraîne parfois la mort des hommes coupables. Ce double symbole : châtiment et renouvellement évoqué par l'eau entraîne celui de la purification : celle-ci, extérieure et, surtout intérieure, précède tout acte religieux ; elle fait pénétrer le croyant dans l'économie du sacré.

Nous traiterons successivement les points suivants :

L'eau et la création : l'œuvre des six jours telle qu'elle est racontée dans la Genèse et dans le Coran.

L'eau dans la nature : elle produit et entretient la vie animale et la vie végétale. D'après le Coran, la pluie est le signe efficace de la miséricorde divine et la preuve de la Résurrection future.

L'eau dans les récits bibliques et coraniques ; son rôle bienfaisant, parfois miraculeux, dans la vie des hommes.

Le chapitre suivant sera consacré à l'eau, instrument de châtiment divin et de mort : le Déluge ; puis à des phénomènes naturels, considérés, eux aussi, comme des châtiments.

Nous arriverons ainsi à parler des purifications rituelles, et du Baptême.

I. L'EAU : FACTEUR DE VIE

La Création
(Les débuts du monde)

D'après la Genèse, reprise par les Psaumes : « Dieu dit et le monde fut. » La création du monde en six jours, œuvre de la Puissance créatrice, agissant par la Parole divine est admise par les trois religions monothéistes. Le Coran analyse l'acte créateur en une formule tripartite à laquelle les théologiens chrétiens souscrivent : « Lorsque Dieu veut une chose, il lui dit "Sois !" et elle est [2]. »

Les philosophes de l'Antiquité ont plus ou moins inspiré la scolastique du XIIIᵉ siècle occidental. Ils admettaient que l'Univers (le leur, sa partie visible) est

---

2. Cette formule revient 8 fois dans le Coran. Création du monde : VI, 73 ; XXXVI, 82 ; la vie et la mort : XL, 68 ; Résurrection : XVI, 40 ; Jésus et Création en général : II, 117 ; Jésus dans le sein de Marie : III, 47 ; XIX, 35 ; Jésus et Adam : III, 59.

l'œuvre d'un Dieu, représenté ou assisté par des puissances parfois multiples, mais, en définitive, cause première universelle et premier moteur. La formation d'un monde qui subsisterait selon des lois issues de ses propres forces leur aurait paru impensable. Cependant, ce qu'ils appelaient, la « matière première », était, selon leurs théories, un « tout indéfinissable, appelé à supporter des formes et des changements successifs, des transformations qui auraient abouti à la création ».

Pour saint Thomas d'Aquin, elle est un principe « passif » qui ne peut se donner l'être à lui-même et qui est créé par Dieu : principe actif (S. Th. Ia, 44, 2,c) : « La matière première est elle-même créée par la cause universelle des êtres. L'émanation de tout l'être provient de l'agent universel qui est Dieu. »

Ce que l'esprit considère alors comme le point de départ (terme impropre) de la création est le non-être absolu qu'il ne peut imaginer. Quand on emploie l'expression : « créer de rien », il ne s'agit évidemment pas d'une cause matérielle, mais c'est une façon d'exprimer ce que l'esprit humain ne peut concevoir, c'est-à-dire : le non-être, le néant.

Aristote pense à la mobilité de l'univers visible. Il ajoute : « Le premier moteur est un être nécessaire, son être est le Bien et c'est de cette façon qu'il est principe. » (*Métaphysique*, XII, 7).

De leur côté, les Pères de l'Église enseignent que Dieu est immuable : il possède en propre l'immutabilité absolue, car, seul, il possède la plénitude de l'être.

La vie appartient à Dieu, dans la pleine propriété (*maximum proprium*) du terme. « Dieu est Vie, et il communique la vie » (S. Th. Ia 18, 3c) et il la maintient sous la forme d'une création continuée. Il est absolument simple : nul changement ne peut se produire en lui. Il est Tout-Puissant et il crée par sa

Parole, son Verbe qui lui est, avec l'Esprit Saint, coéternel.

La Science ne se satisfait nullement des spéculations philosophiques des Anciens, relatives au commencement du monde, ni des récits bibliques, considérés, dès lors comme des mythes adaptés aux mentalités des auditeurs d'un temps révolu. La Science se nourrit de données péremptoires sans pouvoir fournir encore des explications satisfaisantes et définitives de l'apparition de l'être vivant.

Voici des aperçus très succincts, élémentaires, incomplets, que, faute de mieux nous proposons au lecteur. Les savants nous pardonneront d'empiéter sur un terrain qui nous est étranger. Cette digression relative au début de notre univers semble utile à notre propos, étant donné le rôle primordial imputé à l'eau dès l'apparition de la vie sur notre planète.

Selon N.M. Jessop : « Les évidences incontestables concernant l'origine de la vie au niveau moléculaire et son évolution ultérieure au niveau cellulaire sont encore fragmentaires et basées sur des déductions. Toutes tentatives pour formuler une explication cohérente concernant l'origine de la vie cellulaire doit donc être considérée comme spéculative [2 bis]. »

D'après A. Acker[3] la formation des galaxies remonterait à une époque évaluée à environ dix milliards d'années ; la formation du système solaire et de la première croûte terrestre à quatre ou cinq milliards d'années ; les fossiles les plus anciens entre trois et quatre milliards d'années ; les organismes produisant de l'oxygène à deux milliards d'années. Les premiers dinosauriens apparurent il y a deux cent trente millions d'années (l'atmosphère actuelle daterait d'un milliard

---

2 bis. *Biosphère, Ecologie, Mécanisme de l'adaptation*, 1973.
3. *Histoire de l'univers et de la Terre*. Pour de plus amples informations voir dans la Collection « Pour la Science », Belin : *Les animaux disparus ; L'aube de l'humanité ; L'évolution*.

d'années) et disparurent il y a soixante-cinq millions d'années. On date l'apparition de l'Homo sapiens à environ un million d'années.

Il y a eu évolution chimique, puis, évolution biologique. Les premières traces irréfutables de vie cellulaire remontent à deux milliards d'années : il s'agit de bactéries dont l'apparition coïncide avec celle de l'oxygène. On peut dès lors affirmer avec certitude que la vie est sortie de l'eau de mer.

L'ordre d'apparition des êtres vivants coïncide avec un affranchissement progressif du milieu marin. En ce qui concerne les végétaux, on sait qu'après les algues, apparurent les fougères et les mousses qui ont besoin de l'eau pour leur fécondation ; puis les conifères et les plantes supérieures dont les grains de pollen sont transportés par les vents ou par l'insecte.

En ce qui concerne les animaux, on énumère, toujours dans l'ordre de leur apparition : les protozoaires, les éponges, les méduses, puis, parallèlement les invertébrés (vers, mollusques, arthropodes) et les vertébrés (les poissons, les batraciens, les reptiles d'où sont sortis au cours des siècles, les oiseaux et les mammifères).

La paléontologie confirme à peu près l'ordre d'apparition des êtres vivants tel qu'il paraît dans le récit de la Genèse. En tout cas, la première vie, végétale, puis animale est sortie de l'eau, selon un processus que la science n'a pas encore élucidé d'une façon complète et définitive.

Ces mutations ont exigé des centaines de millions d'années.

En ce qui concerne l'homme : cinq cent mille ans séparent le premier Homo sapiens de l'homme actuel.

Nul ne peut rendre compte de cette lente évolution. On connaît les grandes querelles historiques marquées par les théories de l'évolution et leurs auteurs : Lamarck, Darwin, Mendel, Huxley, Wallace et les toutes nouvelles théories basées sur la génétique des populations. Comment le « plus » peut-il sortir du « moins » ? Comment, par suite de nombreuses transformations, la cellule primitive a-t-elle donné naissance à des êtres vivants, se mouvant par eux-mêmes, se reproduisant hors de leur lieu d'origine, puis, enfin, l'existence d'un être pensant : l'homme, formé de structures extraordinairement complexes et capable d'assimiler des connaissances de plus en plus étendues ?

Cette digression, au sujet du commencement du monde habité, tel que la Science le conçoit, a paru nécessaire à notre propos. Bien que les plans soient différents, il semble possible de proposer des rapprochements entre l'ordre d'apparition des êtres vivants, tel que l'on vient de le rappeler succinctement et le donné biblique.

Voici les points principaux du récit de la Création, d'après le Ier chapitre de la Genèse :

1er jour : Création de la lumière. (La lumière et les ténèbres sont considérées par les Anciens comme deux entités indépendantes du soleil.)

2e jour : Séparation des eaux que les Anciens situaient au-dessus du firmament (l'océan céleste des Égyptiens) de celles qui se trouvent en dessous.

3e jour : Séparation de la mer et du continent. La terre produisit alors « l'herbe portant semence et des arbres fruitiers, donnant sur la terre des fruits contenant leur semence ».

4e jour : Création des « luminaires au firmament du ciel pour séparer le jour et la nuit »... pour servir de « signes pour les fêtes, les jours, les années : le grand luminaire comme puissance du jour et le petit luminaire comme puissance de la nuit et les étoiles ». (Les mots « soleil » et « lune » ne figurent pas ici, pour éviter toute confusion avec l'astrolâtrie pratiquée chez les autres peuples.)

5ᵉ jour : Création des animaux qui vivent dans la mer, puis celle des oiseaux.

6ᵉ jour : Création des animaux qui vivent sur la terre ferme... Ensuite Dieu créa l'homme.

Le Coran affirme à plusieurs reprises : « Dieu a créé le ciel et la terre en six jours [3 bis]. »

On lit au début de la Genèse : « L'esprit de Dieu planait sur les eaux. » Cet esprit est, d'après la traduction littérale de l'hébreu, le souffle vivificateur, l'énergie primordiale qui donne à l'eau sa fécondité. Tertullien écrit, à propos du Baptême : « Seule l'eau, dès l'origine, matière parfaite féconde et simple, s'étendait, transparente, comme un trône digne de Dieu [4]. » Le Coran évoque une image comparable ; il dit que lors de la création « le trône (d'Allah) était porté sur les eaux » (Cor. XI, 7).

Mircea Eliade cite le Rig Veda : « Le dieu plane au-dessus des eaux ; en les pénétrant, il féconde les eaux qui enfantent le dieu du feu : Agni... embryon d'or (pilier cosmique) comme la semence du dieu créateur survole les eaux primitives [4 bis]. »

Elohim, d'après la Genèse (on vient de le lire), sépara « les eaux qui sont sous le firmament d'avec les eaux qui sont au-dessus du firmament ». Voici l'explication donnée par R. de Vaux (note sur Gen. I, 6) : « La voûte céleste qui est une illusion d'optique, était, au regard des anciens Sémites, une coupole solide retenant des eaux supérieures ; elle avait des ouvertures par où ruissellera le déluge. » (À ce moment-là, comme le fait justement remarquer le Coran, « les eaux se mêlèrent » — Voir plus loin, p. 53.)

---

3 *bis.* En souvenir du récit de la Création en six jours, les calendriers israélite et musulman, ainsi que la liturgie chrétienne, considèrent le dimanche comme le 1ᵉʳ jour de la semaine et les jours suivants s'intitulent : IIᵉ jour, IIIᵉ jour, etc., jusqu'au samedi, appelé « *sabbatum* » en latin ; c'est le « *shabbat* » hébreu ; « *sabt* », en arabe.
4. De Baptismo, III, V ; Trad. « Sources chrétiennes », 1952.
4 *bis.* *Histoire des croyances et des idées religieuses*, T. I, p. 237.

La Genèse distingue les eaux salées : les océans, l'eau d'en bas, de l'eau douce : la pluie, les sources.

La mer est assimilée, par les Hébreux, à l'abîme (Tehom). Elle était considérée, dès les temps les plus anciens, comme la matrice primordiale, universelle de tous les êtres vivants. Cette tradition peut être comparée avec le récit biblique de la création.

Hénoch (trad. F. Martin, p. 111), conformément à la tradition juive (cf. le Zohar : Noah) écrit : « L'eau qui est au-dessus du ciel est du sexe masculin et l'eau qui est sous la terre est du sexe féminin. »

Les Babyloniens et les Assyriens voyaient dans l'océan (Tiamat) un élément « femelle ». L'eau douce était censée donner naissance aux dieux primitifs [5].

Mircea Eliade attaque le chapitre V de son *Traité d'Histoire des Religions* (p. 168), consacré à l'eau, en écrivant : « Dans une formule sommaire, on pourrait dire que les eaux symbolisent la totalité des virtualités ; elles sont : "fons et origo"… la matrice de toutes les possibilités d'existence. » L'auteur cite alors la tradition extrême orientale où se trouvent ces affirmations : l'eau est « la source de toute chose et de toute existence… Les eaux sont le fondement du monde entier ».

À la suite des Pères de l'Église, la liturgie de la veillée pascale, comme celle du baptême établissent un rapprochement entre l'eau créée au commencement du monde et le sein maternel comme on le verra plus loin.

La Genèse s'exprime ainsi : « Le cinquième jour, Dieu dit : "Que les eaux grouillent d'un grouillement d'êtres vivants et que les oiseaux volent au-dessus de la terre" » (déjà porteuse de verdure et d'arbres d'après ce même chapitre Ier). « Dieu créa les grands serpents de mer (plusieurs traditions considèrent ce *tehom* comme le séjour des monstres et des dragons), et tous

---

5. Cf. E. Dhorme : *Les Religions de Babylone et d'Assyrie*, p. 32.

les êtres vivants qui glissent et qui grouillent dans les eaux selon leur espèce », puis il est tout de suite question de la création de « la gent ailée, selon son espèce ». Enfin Dieu dit : « Que la terre produise des êtres vivants selon leur espèce : bestiaux, bestioles (litt. "ce qui rampe" : serpents, lézards, mais encore : insectes, petits animaux) bêtes sauvages... », bestiaux. On lit dans le Coran :

> Dieu a créé tous les êtres vivants
> à partir de l'eau.
> Certains d'entre eux rampent sur leur ventre ;
> certains marchent sur deux pattes
> et d'autres sur quatre.
> — Dieu crée ce qu'il veut
> Dieu est puissant sur toute chose.
>
> (Cor. XXIV, 45)

Cette énumération peut être rapprochée de celle de la Genèse : ni l'une ni l'autre ne correspond exactement aux données de la paléontologie.

Enfin l'homme fut créé. On lit dans la Genèse : « Dieu modela l'homme avec la glaise du sol, il insuffla dans ses narines une haleine de vie et l'homme devint un être vivant » (Gen. II, 7). On avait lu au chapitre I qu'il fut créé « à l'image de Dieu » (notion retenue par la tradition musulmane), être privilégié, reconnu comme le roi de la création, une sorte de « représentant » de Dieu sur la terre. Mais revenons sur les particularités de sa création : l'hébreu *yasar* traduit par : modeler, former, se retrouve chez le prophète Jérémie (XVIII, 3) dans une comparaison entre la création de l'homme par Dieu et le travail du potier. Isaïe (LXIV, 7) dit à Dieu : « Nous sommes l'argile et toi notre potier » (Cf. Eccli. XXXIII, 10, 13 ; Job X, 8).

On lit dans le Coran :

« O toi, l'homme ! ...
Ton noble Seigneur ... t'a créé puis modelé
et constitué harmonieusement ;
car il t'a constitué dans la forme qu'il a voulue. »
(Cor. LXXXII, 6-8)

Ailleurs il est rappelé aux hommes que Dieu les a « modelés selon une forme harmonieuse » (Cor. XL, 64 et LXIV, 3).

Ces considérations nous ramènent à la question de l'eau, nécessaire à quiconque veut former, modeler un objet à partir de la terre : cette eau, encore une fois est à l'origine de toute création, au sens biblique du terme.

Le Coran précise : « C'est Dieu qui, de l'eau, a créé un mortel (ce mot s'applique à l'homme par opposition aux anges), puis il a tiré de celui-ci une descendance d'hommes et de femmes » (Cor. XXV, 54). La semence virile est assimilée à l'eau, comme on le constate dans le livre du prophète Isaïe (XLVIII, 1) [6]. La Sourate LXXVII (vts. 20-21) parle « d'une eau vile, placée dans un réceptacle solide », c'est-à-dire la matrice. Plus loin (LXXXVI, 6), il est question « d'une goutte d'eau répandue ».

L'eau dans la nature

Après la création de l'eau, indispensable à toute vie animale et végétale, la Genèse mentionne au troisième jour du monde (on l'a déjà dit plus haut), l'apparition de la verdure : des herbes et des arbres, alors que l'homme n'existait pas encore. On lit au chapitre II, consacré au second récit de la création : « Au début,

---

6. Cf. à propos du Aîtareya Brahmana : Mircea Eliade : *Histoire des croyances et des idées religieuses*, t. I. p. 234.

Dieu n'avait pas fait pleuvoir... » Un « flot » sortait de la terre et arrosait toute la surface du sol ; puis, Adam fut créé. Tout aussitôt, celui-ci fut placé dans un « jardin » (*fardès* ; grec : *paradeisos*, paradis) « en Eden ». Yahvé y avait fait pousser toute espèce d'arbres attrayants et porteurs de fruits savoureux. « Un fleuve sortait d'Eden pour arroser le jardin, et, de là se divisait pour former quatre bras. »

Dans le Coran, les mots *firdaws* (paradis), *'adn* (eden) et surtout « jardin » (*janna*) au singulier et au pluriel désignent le séjour où les bienheureux, après leur mort, jouiront d'un bonheur sans fin. Là ils trouveront quatre fleuves dont il sera parlé plus loin. Ici-bas tous les hommes, et, surtout, ceux qui vivent dans un climat désertique, considèrent le jardin clos, planté d'arbres fruitiers, orné de fleurs, arrosé d'eau courante, comme le symbole d'une vie paisible et heureuse. Cette image est concrétisée dans l'agencement de nombreux jardins aménagés dans les villes musulmanes. Le jardin clos, appelé *riadh* au Maroc est souvent carré. Une fontaine alimente le bassin central dont l'eau est répartie au moyen de quatre canaux qui la déversent dans les quatre parterres remplis de végétation. Le Coran promet aux élus les parterres fleuris du Paradis. Des ruisseaux coulant sous des arbres sont évoqués parmi les délices du Paradis les plus souvent mentionnées dans le Coran (plus de trente fois).

Tout ce qu'Allah a créé sur cette terre : l'eau, la végétation, les vaisseaux, les fleuves, « est mis au service de l'homme » (Cf. Cor. XIV, 32).

La première mention de la pluie paraît au chapitre II de la Genèse ; on lit : « Dieu n'avait pas encore fait pleuvoir. » Les Anciens considéraient le plus souvent la pluie, nécessaire à la subsistance de l'homme, comme un effet direct de la puissance divine. Avant l'Islam, les nomades polythéistes invoquaient « le dieu de la pluie » : être suprême dispensateur de tous les bienfaits.

Le prophète Amos tente une explication de la pluie quand il dit : « Yahvé... appelle les eaux de la mer et les répand sur la face de la terre. »

Le Livre de Job est plus précis :

> Dieu attire les gouttes d'eau,
> vaporise la pluie en brouillard ;
> les nuages la laissent couler,
> la distillent en rosée sur la foule des hommes ;
> par eux il sustente les peuples,
> leur donne la nourriture en abondance.
>
> (Job XXXVI, 27-31, trad. Osty)

Enfin le Coran rappelle que Dieu fait descendre (verbe *nazala* réplique de l'hébreu employé dans la citation précédente) l'eau des nuages (cf. Cor. LVI, 69).

Irénée déclare : « La terre était vierge et stérile avant que Dieu ne l'eût fécondée en y faisant tomber la pluie [7]. »

Rabbi Yehouda (T.B. *Taanit* 6 b) compare la pluie pénétrant dans la terre à la semence déposée dans la matrice de la femme ; il dit : « La pluie est le *baal*, l'époux ou le maître de la terre. »

La pluie féconde le sol, elle est une bénédiction, un don céleste. Elle est considérée encore comme une récompense accordée aux hommes justes, alors que la sécheresse, comme les inondations sont assimilées à des châtiments. Dieu dit au peuple d'Israël, d'après le Deutéronome : « Si vous obéissez vraiment à mes commandements... je donnerai à votre pays la pluie en temps opportun, pluie d'automne et pluie de printemps, et tu pourras récolter ton froment, ton vin et ton huile ; je donnerai à ton bétail de l'herbe dans la

---

7. *Adversus Hæreses*, III, 26, 10.

campagne, et tu mangeras et te rassasieras » (Deut. XI, 13-15). Plus loin (XXVIII, 12) il est dit à Israël : « Yahvé ouvrira pour toi les cieux, son trésor excellent, pour te donner en son temps la pluie qui tombera sur ton pays et pour bénir toute œuvre de tes mains. » Le Psaume CIV s'adresse à Dieu en lui disant :

> De tes chambres hautes, tu arroses les montagnes
> du fruit de tes œuvres la terre se rassasie.
> Tu fais germer l'herbe pour le bétail,
> les plantes pour le travail de l'homme,
> pour qu'il tire le pain de la terre.
>
> (Ps CIV, 13-14)

> Tu visites la terre et tu l'abreuves
>   tu la combles de richesses.
> Les rivières de Dieu regorgent d'eau
>   tu prépares leurs épis.
>
> Ainsi tu la prépares :
> arrosant ses sillons, aplanissant ses mottes
> tu la détrempes d'averses, tu bénis son germe.
>
> Tu couronnes l'année de tes bontés
> sur tes ornières la graisse ruisselle ;
> les pacages du désert ruissellent,
> les collines sont bordées d'allégresse ;
> les prairies se revêtent de troupeaux,
> les vallées se drapent de froment,
> les cris de joie, ô les chansons !
>
> (Ps LXV, 10-14)

Le Coran reprend :

> C'est Dieu qui fait descendre du ciel
> l'eau qui vous sert de boisson
> et qui fait croître les plantes
> dont vous nourrissez vos troupeaux.
>
> Grâce à elle, il fait encore pousser pour vous
> les céréales, les oliviers, les palmiers, les vignes
> et toutes sortes de fruits.
>
> (Cor. XVI, 10-11)

(C'est Allah) qui, pour vous,
fait descendre du ciel une eau
grâce à laquelle nous faisons croître
des jardins remplis de beauté
dont vous ne sauriez faire pousser les arbres...

(Cor. XXVII, 60)

La sécheresse du désert, comme la fertilité sont des effets de la volonté de Dieu :

Il changeait les fleuves en désert
et les sources d'eau en sec
un pays de fruits en saline,
à cause de la malice des habitants.
Mais il changea le désert en nappe d'eau,
une terre sèche en source d'eau.
Là il fit habiter les affamés
et ils fondèrent une ville habitée.

(Ps. CVII, 33-36)

Le Coran cite souvent la pluie en la considérant comme une bénédiction divine, un élément de fertilité, une preuve de la bonté de Dieu et de sa miséricorde. Quand elle rend la vie à une terre desséchée, elle devient une preuve de la Résurrection finale. Les textes coraniques où il est question de l'eau pouvaient être parfaitement compris par les habitants des pays désertiques.

On lit encore dans le Coran :

Dieu fait descendre du ciel une eau
par laquelle il fait revivre la terre après sa mort.
— Il y a vraiment là un signe
pour un peuple qui entend —

(Cor. XVI, 65)

Ailleurs, Allah s'adresse à l'homme :

« Tu vois la terre désertique
mais dès que nous y faisons descendre de l'eau,

elle remue, elle gonfle, elle fait pousser
toutes sortes de belles espèces de plantes. »
(Cor. XXII, 5)

« Lorsque nous faisons descendre sur la terre
l'eau du ciel
elle se ranime et elle reverdit. »
(Cor. XLI, 39)

Le prophète Isaïe l'avait déjà constaté :

... De l'eau jaillira dans le désert,
des torrents dans la steppe.
La terre brûlée deviendra un étang
et le pays de la soif se changera en sources.
(Is. XXXV, 6-7)

Plus loin, ce même prophète fait dire à Yahvé :

« Sur les monts chauves, je ferai jaillir des fleuves
et des sources au milieu des vallons.
Je transformerai le désert en étang
et la terre aride en fontaines. »
(Is. XLI, 18-19)

Les versets suivants énumèrent les arbres qui s'y
trouvent.
Le Coran dit encore :

C'est Dieu qui déchaîne les vents ;
ceux-ci soulèvent les nuages que nous poussons
vers une terre morte.
Nous rendons ainsi la vie à la terre après sa mort :
Voilà comment se fera la Résurrection.
(Cor. XXXV, 9)

« Ainsi vous fera-t-il sortir de vos tombes » (Cor.
XLIII, 11).
Le Coran emploie le verbe « descendre » (*nazala*) à
la forme factitive quand il s'agit de l'eau que Dieu fait

descendre sur la terre : la pluie, telle une bénédiction renouvelle la vie des plantes comme on l'a déjà dit. La même expression revient dans le Coran à chaque fois qu'il est question de la révélation. Ici s'arrête, pour le Coran, la comparaison entre l'eau et la parole dictée au prophète Muhammad.

La Bible, au contraire, s'étend assez longuement sur l'eau, symbole de la Parole divine. Cette Parole, après avoir suscité la vie végétale et animale, crée en l'homme des facultés nouvelles : elle illumine son intelligence et le conduit à la vie éternelle.

La Parole exprimée par les prophètes, instruit les hommes et leur dicte les lois ; elle leur révèle aussi ce qui leur est possible de percevoir des vérités relatives à la vie éternelle, commencée dès ici-bas, disent les chrétiens, par la vie de la grâce.

La manne, nourriture miraculeuse des Hébreux errant dans le désert, en marche vers la Terre promise d'après l'Exode (XVI, 4) ; cette nourriture tombée du ciel, est encore, d'après Philon [8] un symbole de la Sagesse éternelle. Moïse, mandaté pour transmettre à son peuple l'enseignement reçu de Dieu lui-même, dit :

« Que ma doctrine ruisselle comme la pluie,
que ma parole tombe comme la rosée
comme les ondées sur l'herbe verte
comme les averses sur le gazon. »
(Deut. XXXII, 2)

Le début de l'Ode XII placée sous le nom de Salomon (œuvre composée entre l'année 50 avant notre ère et 150 de notre ère), pourrait servir de commentaire à ce texte. L'auteur dit : « Dieu m'a rempli des paroles de vérité, pour que je puisse l'exprimer ; comme un courant d'eau la vérité coule de ma bouche, et mes

8. Cf. *De Mutatione hominum*, 18, N° 259.

lèvres montrent ses fruits ; il a fait abonder en moi la science [9]. »

Le Temple de Jérusalem contenait la Loi écrite par Dieu sur les Tables de pierres ; il était considéré comme le centre du monde, lieu de pèlerinage où tout le peuple se rassemblait plusieurs fois par an ; le sanctuaire unique. La Tora y était lue, commentée, enseignée, ce qui fait dire au prophète Isaïe (II, 3) : « La Loi vient de Sion » (bien qu'elle fût promulguée au Sinaï). Tout ceci explique pourquoi le prophète Zacharie (XIV, 8) voit des « eaux vives » sortir de Jérusalem.

Cette expression paraît encore dans le livre du prophète Jérémie (II, 13) : Dieu dit, en désignant son peuple : « Ils m'ont abandonné, moi, la source d'eau vive, pour se creuser des citernes... qui ne retiennent pas l'eau. » Plus loin le prophète constate que les insoumis à la loi « ont abandonné la source d'eaux vives » (Jér. XVII, 13).

Hénoch, lui aussi parle de la « source de vie ». L'idée d'une « source d'immortalité » serait venue d'Égypte [10].

Ezéchiel est conduit par un guide mystérieux à l'entrée orientale du Temple : l'eau coulait du côté droit du Temple. Le Prophète dit : « J'avais de l'eau jusqu'aux chevilles »... puis « jusqu'aux genoux » puis « jusqu'aux reins », enfin « c'était un torrent que je ne pouvais traverser, car l'eau avait grossi pour devenir une eau profonde, un fleuve infranchissable »... (Cf. Ezéch. XLVII, 1-5). Pourquoi ? Parce que cette eau symbolise la connaissance divine que l'intelligence humaine ne peut atteindre d'une façon adéquate. Cependant, lors de l'avènement du Roi juste, Isaïe voit « le pays... rempli de la connais-

9. Trad. Labourt et Batifol, 1911.
10. Cf. F. Martin, *Le Livre d'Hénoch,* traduit de l'éthiopien, 1906, note sur XXII, 2, 9, p. 58.

sance de Yahvé, comme les eaux comblent la mer » (Is. XI, 9 ; cité par Habaquq, II, 14). L'Ecclésiastique parlant du « Livre de l'alliance du Dieu Très Haut », de « La Loi promulguée par Moïse », dit :

> C'est elle qui fait abonder la sagesse divine
> comme les eaux du Phison
> comme le Tigre à la saison des fruits ;
> qui fait déborder l'intelligence comme l'Euphrate
> comme le Jourdain au temps de la moisson ;
> qui fait couler la discipline comme le Nil
> comme le Gihon aux jours des vendanges.
> Le premier n'a pas fini de la découvrir,
> et de même le dernier ne l'a pas trouvée,
> Car ses pensées sont plus vastes que la mer
> ses desseins plus grands que l'abîme.
>
> (Eccli. XXIV, 23-29)

Ailleurs (XXXIX, 22), le même auteur écrit : « La bénédiction divine a tout recouvert comme un fleuve et abreuvé la terre comme un déluge. » Une Ode attribuée à Salomon (VI, 7-10) souligne la portée universelle du message divin en disant : « Un ruisseau est sorti, et il est devenu un torrent grand et large. »

Le Psalmiste, pensant à la Jérusalem céleste, ajoute : « Les bras du fleuve réjouissent la Cité de Dieu » (Ps. XLVI, 5). Le prophète Joël voit une source jaillir de la « maison de Dieu ». On retrouvera « le fleuve de vie, limpide comme du cristal » dans la Jérusalem céleste décrite dans l'Apocalypse de Jean (XXII, I ; voir plus loin p. 173).

Le symbolisme de l'eau, déjà connu des auteurs de l'Ancien Testament, se confirme dans le Nouveau.

Jésus se manifeste à la Samaritaine, auprès du puits de Jacob, dans le but de lui faire pressentir la richesse des enseignements et de la vie nouvelle qu'il apporte au monde ; il dit à la femme : « Si tu savais le don de Dieu et qui est celui qui te dit : "Donne-moi à boire", c'est toi qui l'en aurait prié et il t'aurait donné de l'eau vive... Qui boira de l'eau que je lui donnerai n'aura plus jamais soif : l'eau que je lui donnerai, deviendra en lui une source d'eau jaillissant en vie éternelle » (Jn. IV, 10, 13-14). Ce même apôtre Jean rapporte ces paroles du Christ : « Si quelqu'un a soif qu'il vienne à moi et qu'il boive, celui qui croit en moi ! » selon le mot de l'Écriture : « De son sein couleront des fleuves d'eau vive. » L'évangéliste ajoute : « Jésus parlait de l'Esprit »... (cf. Jn. VII, 37-39).

Philon voit en Dieu une « source intarissable de la vie » (cf. *De Fuga,* 198).

Déjà le Psalmiste avait dit à Dieu : « La source de vie est en toi » (Ps. XXXVI, 10). Isaïe (LVIII, 11) parle d'une « source jaillissante dont les eaux ne tarissent jamais ». L'auteur des Odes de Salomon (XI, 6-7) déclare avoir été « enivré de l'eau vivante qui ne meurt pas ».

Saint Thomas d'Aquin, dans son Commentaire du texte que l'on vient de citer (Jn. IV, 13) écrit : « Vraiment, cette eau spirituelle provient d'une cause éternelle, c'est-à-dire de l'Esprit Saint. Lui-même est une source de vie, qui, jamais ne tarit ; c'est pourquoi celui qui en boit n'aura plus jamais soif, et, ceci, pour l'éternité. Celui qui aurait en lui une source de vie, n'aura plus jamais soif. »

L'Évangile situe ce discours du Christ quelques jours avant la fête des Tabernacles. Jean Grosjean dans sa note (*Nouveau Testament,* coll. Pléiade) fait remarquer que la liturgie du temple, ce jour là, comprenait justement la lecture du texte de Zacharie (XIV, 8) cité plus haut (p. 27) où il est fait mention des fleuves d'eau vive sortant de Jérusalem, vision interprétée comme un signe messianique. La même image reparaît dans l'Apocalypse de Jean, comme on l'a vu plus haut.

En résumé, un rapprochement s'impose entre le fleuve de l'Eden ; celui que les prophètes voyaient sortir du Temple ; l'eau vive évoquée par le Christ et, enfin, le fleuve du Paradis. Le même symbolisme de l'eau paraît au cours des siècles pour signifier des réalités spirituelles qui s'étendent jusqu'aux perspectives de la félicité future promise aux justes.

Le Coran a retenu les deux extrémités de la chaîne : c'est-à-dire : le commencement de toute vie à partir de l'eau et son achèvement, sa transformation dans la vie future : les élus l'y retrouveront sous forme de ruisseaux, de sources et d'un fleuve.

L'eau dans les récits
concernant la vie des patriarches et des prophètes

On a vu que le premier homme fut créé de terre, d'après la Genèse et le Coran. Cette terre ne pouvait être façonnée, modelée, que mélangée avec de l'eau.

Le premier couple humain désobéit à Dieu ; il fut chassé du Paradis. Le Coran dit qu'Adam se repentit ; la Bible l'ignore. Mais voici le récit légendaire retenu par la tradition juive. Il remonte au IVe siècle de notre ère : Adam et Ève regrettent amèrement le Paradis dont ils ont été exclus à la suite de leur désobéissance... Ils se lamentent... Comment obtenir le pardon de Dieu ? Adam dit à Ève : « Je vais jeûner durant quarante jours... quant à toi, descends dans la rivière, le Tigre. Monte sur une pierre en ayant de l'eau jusqu'au cou. Ne parle pas, nous sommes indignes de nous adresser à Dieu. Nos lèvres sont impures, car nous avons désobéi en mangeant (le fruit) de l'arbre défendu. Reste dans la rivière trente sept jours. Moi, je passerai quarante jours dans l'eau du Jourdain (ou du Gihon : fleuve sorti du Paradis), espérant que le Seigneur Dieu aura pitié de nous »... Le cours du Jourdain s'arrêta pour permettre aux poissons d'entourer Adam et de prendre part à son chagrin. Enfin, Adam et Ève obtinrent le pardon de Dieu [11].

Au long de plusieurs millénaires (on n'ose encore avancer de date précise), les hommes s'étaient multipliés et Dieu vit que la terre était pleine de violence ; il voulut alors anéantir la race humaine au moyen du déluge. Noé, homme juste et sa famille furent sauvés. On reviendra plus loin sur cet événement au sujet de l'eau en tant qu'instrument de châtiment et de mort.

L'histoire d'Abraham, d'après la Genèse, mentionne deux circonstances au cours desquelles une source intervint au désert d'une façon providentielle. Saraï, épouse stérile avait offert à son mari, sa servante égyptienne Agar, afin de lui assurer une descendance. Une fois que celle-ci fut enceinte, sa maîtresse la maltraita et elle s'enfuit. L'ange de Yahvé la rencontra au désert auprès d'une source... Il lui dit : « Retourne chez ta maîtresse et sois-lui soumise » ; ce qu'elle fit. L'ange lui avait promis un fils auquel elle devrait donner le nom d'Ismaël et une descendance extrêmement nombreuse. (Cf. Gen. XVI.) Puis Isaac, fils de Sara, naquit. Abraham sur l'injonction de Sara, congédia Agar. Il lui donna un pain et une outre d'eau ; elle portait son fils. « Elle s'en fut errer au désert de Bersabée. Quand l'eau de l'outre fut épuisée, elle jeta l'enfant sous un buisson et s'éloigna. Elle disait : ''Je ne veux pas voir mourir l'enfant !''... Elle se mit à crier et à pleurer. Dieu entendit les cris du petit et l'ange de Dieu appela du ciel Agar et lui dit : ''Qu'as-tu Agar ? Ne crains pas, car Dieu a entendu''... (c'est, en hébreu le nom d'Ismaël). Dieu dessilla les yeux d'Agar et elle aperçut un puits. Elle alla remplir l'outre et fit boire le petit » (Cf. XXI, 14-19).

---

11. D'après R.H. Charles *Pseudepigrapha* (Vol. II), 1913, p. 135.

Le Coran n'a pas retenu ce récit concernant Ismaël, fils d'Abraham que les Musulmans considèrent comme leur ancêtre ; cependant il applique à la Vierge Marie, miraculeusement enceinte de son fils Jésus, un récit parallèle. Il ne faut pas oublier que d'après le Coran, ces deux êtres privilégiés : Marie et Jésus, constituent « un Signe pour les mondes ». Voici le récit en question tel qu'on le trouve dans la « Sourate de Marie » :

Les douleurs la surprirent
auprès du tronc du palmier.

Elle dit :
« Malheur à moi !
Que ne suis-je déjà morte,
totalement oubliée. »

(On se souvient du désespoir d'Agar.)

L'enfant qui se trouvait à ses pieds l'appela :
« Ne t'attriste pas !
Ton Seigneur a fait jaillir un ruisseau à tes pieds.

Secoue vers toi le tronc du palmier :
il fera tomber sur toi des dattes fraîches et mûres.
Mange, bois, et cesse de pleurer. »
                                        (Cor. XIX 23-26)

Abraham, d'après la Genèse, avait quitté son pays natal, Ur en Chaldée, sur un ordre divin pour se fixer dans la terre de Canaan. Mais il voulut, pour son fils Isaac, une épouse choisie dans sa propre famille. Il envoya son serviteur (la tradition le nomme Eliezer) en Haute Mésopotamie. Celui-ci arriva à Nahor au moment où les femmes sortaient pour puiser l'eau d'un puits. Parmi elles se trouvait précisément Rebecca, petite fille de Nahor, frère d'Abraham. « La jeune fille était très belle, elle était vierge... Elle descendit à la source, emplit sa cruche et remonta. » Le serviteur lui demanda à boire... Elle répondit : « Bois, Monseigneur et vite elle abaissa sa cruche sur son bras et le fit boire »... C'était là le signe que le serviteur avait demandé à Dieu, pour désigner celle qui deviendrait la bru de son maître. Laban, le frère de Rébecca et neveu d'Abraham accueillit avec honneur l'envoyé de son oncle. Le serviteur repartit en emmenant Rébecca chargée de nombreux bijoux d'argent et d'or ; des vêtements et des cadeaux pour ses futurs beaux-parents. Isaac l'attendait avec impatience ; il était venu au-devant de la caravane ; elle devint aussitôt sa femme et il l'aima (Cf. Gen. XXIV).

Isaac, avant de mourir, recommanda à son fils Jacob de ne pas prendre une femme du pays de Canaan, mais de partir vers l'Orient, retrouver son oncle Laban. La rencontre eut lieu providentiellement auprès d'un puits, dans la campagne. Laban avait deux filles : il exigea de Jacob que celui-ci le servit durant sept ans, avant de lui accorder une de ses filles en mariage : au bout de ce temps, il le trompa en lui donnant Léa qui était laide, alors que la belle Rachel lui avait été promise. Il travailla encore sept ans avant de pouvoir l'épouser. (Cf. Gen. XXVIII-XXIX.) (Curieusement, le Coran place un récit analogue à celui-ci dans l'histoire de Moïse comme on le verra plus loin.)

D'après l'Exode, Moïse, traqué en Égypte pour avoir tué un Égyptien, se rendit au pays de Madian, et là, il s'arrêta auprès d'un puits. Les sept filles du prêtre de Madian vinrent puiser de l'eau pour abreuver les moutons de leur père. Des bergers voulurent les chasser ; Moïse prit leur défense et abreuva les moutons. Elles racontèrent à leur père ce qui s'était passé. Celui-ci invita Moïse chez lui. Le récit s'achève ainsi : « Moïse s'établit auprès de cet homme qui lui fit épouser Cippora, sa fille »... (Cf. Ex. II, 15-22).

Le Coran relate, lui aussi, cette rencontre auprès de la « source de Madian » : deux femmes se tenaient à l'écart par crainte des bergers. « Moïse abreuva leurs bêtes, puis il se retira à l'ombre... Une des femmes vint à lui... "Mon père t'appelle pour te récompenser d'avoir abreuvé nos bêtes"... Une des femmes dit : "O mon père ! Engage-le à ton service"... Le vieillard dit (à Moïse) : "Je veux te marier à l'une de mes deux filles que voici, à condition que tu restes huit ans... ou dix ans à mon service"... Moïse dit : "Dieu est garant de ce que nous disons" » (Cf. Cor. XXVIII, 23-27).

Après avoir rappelé plusieurs épisodes bibliques, relatifs au puits, élément capital dans la vie des nomades et symbole de fécondité, il s'agit maintenant de reprendre, dès le début l'histoire de Moïse tout au long de laquelle l'eau, en diverses circonstances, joue un rôle important.

Les fils de Jacob, venus de Canaan, s'y multiplièrent de telle sorte que les Égyptiens décidèrent de supprimer, dès leur naissance tous les enfants hébreux du sexe masculin. La mère de Moïse cacha son fils durant trois mois, puis elle confectionna une corbeille en papyrus enduite d'asphalte et de poix (*têbah* : litt. caisse, coffre. On traduit « arche » quand il s'agit de celle qui fut construite par Noé). Elle y plaça l'enfant, puis elle le déposa parmi les roseaux proches de la rive du fleuve. (Cf. Ex. II, 1-10). Allah, d'après le Coran dit à la mère de placer son fils dans le coffret puis de jeter celui-ci dans le fleuve qui le rejettera sur la rive (cf. Cor. XX, 39). Ailleurs (XXVIII, 7) on lit cet ordre divin accompagné d'une promesse : « Lance-le dans le fleuve... nous te le rendrons et nous en ferons un prophète. » Ce coffret est nommé *tabout* dans le Coran. Ce même mot reviendra pour désigner l'arche d'alliance où furent conservées un certain temps, les Tables de la Loi qui avaient été précisément remises à Moïse sur le Mont Sinaï. (Cf. Cor. II, 248).

L'enfant semblait donc abandonné aux caprices du fleuve. Il ne fut pas englouti, mais, au contraire bercé par les flots.

La fille de Pharaon le recueillit. Elle s'écria : « Je l'ai tiré des eaux ! » (Ex. II, 10). Par suite d'une manœuvre habile, sa propre mère l'allaita ; il fut élevé dans la maison de Pharaon. « Ainsi, déclare le Livre des Actes, (VII, 22) ainsi, Moïse fut... instruit dans toute la sagesse des Égyptiens. » Le Coran dit : « Allah lui a donné la sagesse et la science » (Cor. XXVIII, 14). Moïse « sauvé des eaux » trouva sa future épouse auprès d'un puits, comme on l'a vu plus haut (p. 33).

Les Hébreux étaient traités en Égypte comme de malheureux esclaves accablés de travail. Yahvé envoya Moïse et son frère Aaron parlementer avec Pharaon : « Renvoie mon peuple »... Mais le potentat ne voulut rien entendre, et, d'après le Coran, il reprocha à Moïse son ingratitude en lui disant : « Ne t'avons-nous pas élevé chez nous tout enfant ? N'as-tu pas passé parmi nous plusieurs années de ta vie ? » (Cor. XXVI, 18).

Devant le refus et l'entêtement de Pharaon malgré les signes et les prodiges dont il fut témoin, Yahvé, par l'intermédiaire de Moïse déclencha, successivement « les dix plaies d'Égypte », parmi lesquelles : « l'eau changée en sang » (Ex. VII, 19). Il est exact que le Nil, à une certaine époque de l'année devient rougeâtre à cause de sédiments provenant des lacs abyssins, entraînés par la crue du fleuve ; celle-ci n'est intense que dans le cours supérieur du Nil. Contrairement à ce qui se passa lors du fléau décrit par l'Exode, cette eau n'est pas nuisible.

Nous mentionnerons encore la VIIe plaie durant laquelle l'eau, sous forme de grêle et le « feu » sous forme de tonnerre, de foudre et d'éclairs furent associés pour punir les coupables. (Cf. Ex. IX, 23-26 et Apoc. VIII, 7-10.)

Le Coran parle simplement d'une inondation, parmi les cinq fléaux énumérés dans la Sourate VII (Vt. 133) ; ce qui rappellerait le déluge : châtiment divin universel. Finalement les Hébreux s'enfuirent sous la conduite de Moïse, après que fut célébrée la première pâque. Celle-ci comportait, entre autres prescriptions, l'immolation d'un agneau mâle, choisi le Xe jour du Ier mois, immolé le XIVe jour, alors que les Musulmans continuent à l'immoler le Xe jour du XIIe mois de leur calendrier.

Ce fut le jour de la sortie d'Égypte ; « de la maison de servitude » (Cf. Ex. XIII, 3). Les Égyptiens se lancèrent à la poursuite des Hébreux avec toutes leurs armées. Lorsqu'ils s'approchèrent de la mer Rouge, ou mer des Roseaux, une grande frayeur saisit les Hébreux. Ils se plaignirent à Moïse en lui disant : « Mieux vaut pour nous servir les Égyptiens que mourir dans le désert. » Réponse de Moïse : « Yahvé combattra pour vous... » Yahvé dit à Moïse : « Lève ton bâton, étends ta main sur la mer et fends-la en deux pour que les enfants d'Israël puissent pénétrer à pied sec dans son lit. » « Moïse étendit sa main sur la mer, Yahvé refoula la mer toute la nuit par un fort vent d'est, et il la mit à sec. Les eaux se fendirent et les enfants d'Israël s'engagèrent dans le lit asséché de la mer, avec une muraille d'eau à leur droite et à leur gauche » (Cf. Ex. XIV, 15-22). Les commentateurs notent la possibilité d'une coïncidence entre une marée exceptionnelle permettant le passage à gué et un vent violent : circonstances naturelles qui rendent le miracle plausible, sans, cependant l'exclure. Après le passage des Hébreux, « Yahvé dit à Moïse : "Étends ta main sur la mer" : les eaux refluèrent sur les Égyptiens, leurs chars et leurs cavaliers... la mer rentra dans son lit... Les eaux, dans leur reflux, submergèrent les chars et les cavaliers de toute l'armée de Pharaon qui s'étaient engagés dans la mer à la suite des enfants d'Israël. Pas un d'eux n'échappa. Ce jour-là, Yahvé délivra Israël des mains des Égyptiens »... (Cf. Ex. XIV, 26-30). Donc cette eau qui, en reculant avait sauvé les Hébreux, assurant ainsi leur sécurité, devint un instrument de châtiment et de mort pour les Égyptiens.

Le Coran relate les mêmes faits : Allah dit : « Nous avons révélé à Moïse : "Frappe la mer avec ton bâton" » (XXVI, 63)... « Ouvre dans la mer un chemin (aux fils d'Israël) où ils marcheront à pied sec » (XX, 77). « La mer s'entrouvrit et chacune de ses parties devint semblable à une immense montagne » (XXVI, 63). « Nous avons fait traverser la mer aux fils d'Israël, Pharaon et ses armées les poursuivirent » (X, 90) ; « Le flot les submergea » (XX, 78)... « Nous avons saisi Pharaon et ses armées, puis nous les avons jetés dans l'abîme » (LI, 40). La Sourate X (90-92) ajoute que Pharaon, sur le point d'être englouti, se convertit au Dieu d'Israël.

Les Hébreux poursuivirent leur marche dans le désert : elle dura quarante ans. Durant cette longue errance deux autres miracles relatifs à l'eau se produisirent en leur faveur, par l'intermédiaire de Moïse. Nous les citons tout de suite et nous reprendrons plus tard certains détails les concernant.

Les enfants d'Israël altérés trouvèrent à Mara une eau « amère » (ou saumâtre) ; Moïse la rendit potable en y jetant un bois dont on ignore la nature. (Cf. Ex. XV, 23-25.) Plus tard, l'eau jaillit d'un rocher que Moïse avait frappé de son bâton. Entre ces deux épisodes, les Israélites avaient rencontré les douze sources d'Elim.

De plus, Yahvé fit descendre du ciel la « manne » pour nourrir le peuple affamé. Ce produit mystérieux (les enfants d'Israël se disaient entre eux : « Qu'est cela » : Cf. Ex. XVI, 15) était considéré comme étant le « pain du ciel » créé par la puissance de la Parole divine. Dieu envoya également des cailles pour alimenter le peuple. Le Coran fait dire à Allah : « Nous avons fait descendre sur vous la manne et les cailles »

(Cor. XX, 80). Cependant, le peuple exprimait parfois ses regrets amers en pensant à l'Égypte où il trouvait à profusion du poisson et des légumes variés. (Cf. Nbr. XI, 4-6 ; Cor. II, 61.)

Au bout de quarante ans, les Hébreux atteignirent enfin la Terre promise : celle où l'eau est abondante ; celle où coulent le lait et le miel, où la vigne produit de merveilleux raisins.

Les Hébreux firent la différence entre la Palestine arrosée par la pluie venue du ciel, remplie de sources, et l'Égypte où l'homme doit se livrer aux durs travaux de l'irrigation. Du reste Yahvé avait prévenu le peuple d'Israël en lui disant : « Le pays où tu entres pour en prendre possession n'est pas comme le pays d'Égypte d'où vous êtes sortis, où après avoir semé, il fallait arroser avec le pied, comme on arrose un jardin potager. Mais le pays où vous allez passer pour en prendre possession est un pays de montagnes et de vallées arrosées par la pluie du ciel. De ce pays ton Dieu prend soin, sur lui les yeux de Yahvé ton Dieu restent fixés depuis le début de l'année jusqu'à sa fin » (Deut. XI, 10-12).

Revenons sur le miracle de l'eau sortie du rocher. Les Israélites en plein désert se plaignaient à Moïse de la soif qu'ils éprouvaient. Yahvé lui dit : « Prends en main le bâton dont tu frappas le fleuve (c'est-à-dire le Nil) et va ! Moi, je me tiendrai devant toi, là, sur le rocher en Horeb. Tu frapperas le rocher, l'eau en jaillira et le peuple aura de quoi boire » (Ex. XVII, 5-6). Le Deutéronome (VIII, 15) reprend : « Lui (Dieu) qui, dans un lieu sans eau a fait pour toi (Israël), jaillir l'eau de la roche la plus dure... Ne l'oublie pas !... » L'auteur du Livre de la Sagesse (XI, 4) reprend : « Dans leur soif, les enfants d'Israël t'invoquèrent (ceci s'adresse à Dieu) : un roc escarpé leur donna de l'eau ; une pierre dure apaisa leur soif » (Cf. Ps. CXIV, 8).

Le prophète Isaïe (XLVIII, 21) répète : « Du rocher Dieu a fait jaillir (pour les fils d'Israël) de l'eau ; il a fendu le rocher et les eaux ont coulé. »
On lit dans le Psautier :

Dieu fendit les rochers au désert,
il les abreuva à la mesure du grand abîme ;
du roc il fit sortir des ruisseaux
et descendre les eaux en torrents.

(Ps. LXXVIII, 15)

Le Coran, de son côté tire de cet événement un enseignement profond quand il fait dire à Allah en s'adressant aux fils d'Israël :

Vos cœurs, ensuite, se sont endurcis.
Ils sont semblables à un rocher ou plus durs encore.
Il en est, parmi les rochers,
d'où jaillissent les ruisseaux ;
il en est qui se fendent, et l'eau en sort ;
il en est qui s'écroulent par crainte de Dieu...

(Cor. II, 74)

La dureté du cœur est plusieurs fois mentionnée dans la Bible. On lit à cinq reprises dans l'Exode, qu'à la suite de plusieurs fléaux que Yahvé, par l'intermédiaire de Moïse fit tomber sur l'Égypte, le cœur de Pharaon « s'endurcissait ».
Le Psaume XCV (vt. 8) recommande aux croyants :

Aujourd'hui puissiez-vous écouter la voix (de Yahvé)
« N'endurcissez pas vos cœurs comme à Mériba,
comme au jour de Massa dans le désert,
quand vos pères m'ont éprouvé et tenté
et pourtant ils voyaient mes actions. »

La prière préparatoire à l'Office des Matines répète aux croyants : « Aujourd'hui, si vous entendez la voix du Seigneur, veuillez ne pas endurcir votre cœur [12]. »

Ezéchiel cite cette promesse faite par Dieu aux enfants d'Israël : « Je vous purifierai... Je vous donnerai un cœur nouveau, j'ôterai de votre chair le cœur de pierre et je vous donnerai un cœur de chair » (Ez. XXXVI, 25-26).

Suivant le texte de l'Oraison 21 du Missel de Pie X, le croyant demande à Dieu la grâce de pleurer ses péchés afin d'être pardonné ; il s'adresse à lui en lui disant : « Toi qui as fait sortir de la pierre une source d'eau vive pour un peuple altéré, fais jaillir de la dureté de notre cœur des larmes de repentir »... (signe d'un regret sincère auquel répond le pardon divin).

Le Prophète Isaïe (LXIII, 17) demande à Dieu : « Pourquoi nous laisses-tu errer loin de tes voies et nos cœurs s'endurcir contre ta crainte ? » Cette crainte révérencielle éloigne l'homme du péché.

Le Coran bloque le miracle de l'eau sortie du rocher en Horeb, pays désertique, avec l'épisode des douze sources que les Israélites rencontrèrent sur leur passage à Elim, contrée fertile. On y lit :

> Nous avons partagé (les fils d'Israël)
> en douze tribus, en douze communautés.
> Nous avons révélé à Moïse,
> lorsque son peuple lui demanda à boire :
> « Frappe le rocher avec ton bâton ! »
> Douze sources en jaillirent
> et chacun des groupes sut où il devait boire.
> (Cor. VII, 160 ; cf. II, 60)

Ezéchiel le Tragique, poète juif du [II]e siècle avant notre ère, cité par Eusèbe de Césarée [13] avait déjà confondu l'épisode des douze sources d'Elim avec l'eau

---

12. Cf. Ps. XCV, 7-8 : trad. de la Vulgate, citée dans l'Épître aux Hébreux : III, 15.
13. *Præparatio evangelica*, IX, 29 ; P. G. XXI, 7, 46.

qui jaillit du rocher à l'Horeb. Il dit : « La pierre d'une même source en fit jaillir douze.» On voit sur une des peintures de la synagogue de Douro Europas (IIIe siècle de notre ère), Moïse montrant du doigt une margelle de puits de laquelle l'eau jaillit ; celle-ci se divise en douze ruisseaux sinueux qui se dirigent, chacun vers l'intérieur d'une tente. Ces douze tentes représentent les douze tribus d'Israël.

La tradition rabbinique a retenu la légende du puits de Miryam, sœur de Moïse ; celle du rocher d'où jaillissait de l'eau et qui suivait les Israélites durant leur marche au désert. Paul s'en souvient, il dit, en parlant des Hébreux : « Tous ont bu le même breuvage spirituel ; ils buvaient en effet à un rocher spirituel qui les accompagnait et, ce rocher, c'était le Christ » (I Cor. X, 4).

D'après l'Exode (XV, 27 cf. Nb. XXXIII, 9) les fils d'Israël « arrivèrent à Elim, endroit pourvu de douze sources et de soixante dix palmiers ; ils y campèrent au bord de l'eau ». Les caravanes connaissaient ce lieu situé non loin de la côte occidentale de la péninsule du Sinaï. Le nombre de soixante-dix, rappelle celui des anciens, ou des « sages d'Israël » admis à suivre Moïse dans une partie de son ascension à l'Horeb, en se tenant à distance pour contempler Dieu de loin (cf. Ex. XXIV). Le nombre douze rappelle les douze princes promis à la descendance d'Ismaël ; les douze fils de Jacob, ancêtres des douze tribus d'Israël (le Coran rappelle leur existence). On rencontre dans l'Ancien Testament le souvenir des douze stèles élevées par Moïse en leur mémoire ; les douze pierres précieuses qui ornaient le pectoral du Grand Prêtre ; les douze stèles élevées sur l'ordre de Josué comme mémorial du passage du Jourdain, à pied sec, lorsque les Israélites accompagnaient l'arche d'alliance.

Jésus avait douze disciples : les apôtres. Le Nouveau Testament les désigne en disant simplement : « les

41

douze ». Enfin la Jérusalem céleste apparue à Jean, compte douze portes « près desquelles il y a douze anges et des noms inscrits : ceux des douze tribus d'Israël... Le rempart de la ville repose sur douze assises, portant chacune le nom de l'un des douze apôtres » (Apoc. XXI, 12-14). (De même les nefs des cathédrales reposent sur douze piliers, six de chaque côté. Le chœur, entouré de l'abside figure le Christ.)

Les Hébreux trouvèrent dans la Terre Promise, comme on l'a déjà dit, des ruisseaux en abondance et toutes sortes de produits symboles du bonheur parfait, tel que les Musulmans le retrouveront dans le Paradis coranique.

On sait que Moïse fut puni d'avoir douté en frappant le rocher deux fois au lieu d'une ; il mourut avant d'avoir atteint la Palestine.

Josué lui succéda en tant que chef du peuple. Il reçut de Dieu cette promesse : « Yahvé ouvrira pour toi les cieux, son trésor excellent pour te donner en son temps la pluie qui tombera sur ton pays, et pour bénir toutes les œuvres de tes mains » (Deut. XXVIII, 12).

Trois siècles et demi, environ, après les événements relatés : une sécheresse absolue sévissait depuis trois ans en Samarie. Ses habitants étaient punis pour avoir « abandonné les commandements de Yahvé ». Les quatre cent cinquante prophètes de Baal furent rassemblés. Ils préparèrent un sacrifice : rien ne se produisit. Le prophète Elie prépara à son tour un holocauste sur lequel le feu de Yahvé descendit aussitôt. Élie monta ensuite sur le Mont Carmel pour prier : « Le ciel s'obscurcit de nuages et de tempête et il y eut une grosse pluie » (Cf. I Rois XVIII ; Jc. V. 17-18 et plus loin p. 114).

L'exemple des prophètes engage les croyants à demander à Dieu les bienfaits de la pluie, quand son absence se fait durement sentir. Voici comment s'exprime le prophète Zacharie :

> Demandez à Yahvé de la pluie...
> C'est lui qui déverse la pluie,
> il donne le pain à l'homme,
> l'herbe au bétail.
>
> (Zach. X, 1)

Le psalmiste dit en parlant du Créateur :

> Lui qui drape les cieux de nuées,
> qui prépare la pluie à la terre
> qui fait germer l'herbe sur les monts
> et les plantes au service de l'homme,
> qui dispense au bétail sa pâture
> aux petits des corbeaux qui crient...
>
> (Ps. CXLVII, 8-9)

Celui qui dispense aux hommes ce dont ils ont besoin, écoutera les prières de ses serviteurs. Ainsi la liturgie catholique contient un texte de prière « Pour demander la pluie » (Cf. *Missel de Paul VI*). Ce texte rappelle que l'eau est nécessaire à tout être vivant : « Dieu... toi en qui nous avons la vie, le mouvement et l'être (Actes, XVII, 28) accorde-nous la pluie qui nous est nécessaire ; afin qu'aidés par ton présent secours, nous aspirions avec plus de confiance aux réalités éternelles. »

Selon l'ancienne liturgie latine, la prière dite des « Rogations » se célébrait les trois jours précédant l'Ascension : elle comportait les litanies des saints et des processions dans les champs pour attirer sur eux les bénédictions divines. À cette même intention, les Chrétiens, au début de chaque saison, jeûnaient trois jours, durant la semaine dite des « quatre-temps ». Ces célébrations sont, à la fois d'origine juive et païenne. Comme les Catholiques, les Musulmans prévoient des prières rituelles pour demander la pluie.

Après cette digression à propos de la pluie, revenons aux épisodes de la vie d'Élie où il est question de l'eau. Le Prophète, traqué par ses ennemis s'enfuit au désert. L'ange, pour le sauver de la mort lui apporta une galette et une gourde d'eau, comme Abraham l'avait fait lorsqu'il renvoya Agar au désert. Soutenu par cette nourriture, Élie marcha quarante jours et quarante nuits, jusqu'à la montagne de Dieu, l'Horeb ; « il brûlait de zèle pour Yahvé Sabaoth » et il le rencontra au lieu même où il s'était manifesté à Moïse : au Mont Sinaï. (Cf. I Rois, XIX.)

Plus tard, à deux reprises le manteau d'Élie renouvela le miracle qui s'était déjà produit au temps de Josué : les eaux du Jourdain se séparèrent pour permettre au Prophète Élie et à son disciple Élisée, de passer le fleuve à pied sec. Élie fut ensuite emporté au ciel sur un char de feu.

Le Coran fait une simple allusion au Prophète Élie traité de menteur par les adorateurs de Ba'al... Allah dit : « Nous avons perpétué son souvenir dans la postérité : Paix sur Élie » (Cf. Cor. XXXVII, 123-130). Ailleurs, Élie et Élisée sont comptés parmi les justes.

L'eau qui guérit

Après avoir cité quelques épisodes bibliques faisant apparaître l'eau comme un symbole de vie ou de fécondité, il convient de parler des guérisons miraculeuses opérées par l'eau.

Naaman était lépreux. Élisée lui ordonna de se plonger sept fois dans les eaux du Jourdain ; il répondit : « Est-ce que les fleuves de Damas... ne valent pas mieux que toutes les eaux d'Israël ? »... Il finit cependant par obéir : « Il descendit et se plongea sept fois dans le Jourdain... Sa chair redevint nette comme la chair d'un petit enfant » (Cf. II Rois, V, 6-14).

Au temps de Jésus, la piscine de Bézatha à Jérusalem attirait un grand nombre de malades : « L'ange du Seigneur, de temps en temps descendait dans la piscine et l'eau était agitée. Le premier à y descendre après l'agitation de l'eau, se trouvait guéri »... Or Jésus vit un paralytique : personne ne songeait à le plonger dans la piscine au moment voulu. Jésus lui dit : "Prends ton grabat et marche." Aussitôt l'homme fut guéri »... (Cf. Jn. V, 4-9). La parole de Jésus avait été plus forte que l'eau agitée par l'ange.

Une autre fois, Jésus rendit la vue à un aveugle-né après qu'il se fût lavé dans la piscine de Siloé (Jn. IX, 7). Irénée, Ambroise, Augustin établissent un rapprochement entre cette guérison et le Baptême, qui est « illumination », comme on le verra plus loin.

Le premier « Signe » donné par Jésus fut celui de « l'eau changée en vin » aux noces de Cana (Jn. II). Était-ce pour marquer la supériorité de la Loi nouvelle, représentée par le vin, sur l'ancienne ? En tout cas, le vin est le symbole de l'amour. « Le Cantique » par excellence, attribué à Salomon commence ainsi : « Qu'il me baise d'un baiser de sa bouche !... Tes caresses sont meilleures que le vin. » Le vin, étant donc la boisson essentielle aux festins de noces. C'est pourquoi, chez les mystiques, chrétiens et musulmans, il est le symbole de la connaissance savoureuse de Dieu. Le Coran l'interdit en cette vie, mais la tradition populaire sait qu'il est réservé à la vie future. Un fleuve de vin coule dans le Paradis coranique. (Dans l'ancienne Mésopotamie, la vigne est assimilée à l'arbre de vie.) Le Christ lui-même déclare à ses disciples peu avant sa passion : « Je ne boirai jamais plus du produit de la vigne jusqu'au jour où je boirai le vin nouveau dans le Royaume de Dieu » (Mc. XIV, 25). Jésus venait de célébrer la Cène durant laquelle il dit : « Ce pain est mon corps... Ce vin est mon sang » : formule qui rappelle la création première : « Dieu dit... et cela est. »

En fait de miracles accomplis par Jésus, en rapport avec l'eau, on peut citer deux pêches miraculeuses dans le lac (ou la « mer ») de Génésaret (Cf. Lc. V 4-10 ; Jn. XXI, 6).

Un jour que Jésus et ses disciples naviguaient, « une bourrasque de vent s'abattit sur le lac » d'après Matthieu (VIII, 24) ; « La barque était couverte par les vagues ; Jésus, alors, menaça le vent et le tumulte de l'eau et il se fit un grand calme... Ses compagnons disaient entre eux : "Qui donc est celui-ci ? ... Même les vents et la mer lui obéissent !" » (Cf. Lc. VIII, 23-25 ; Mt. VIII, 23-27).

Le Psalmiste dit à Dieu :

> « C'est toi qui maîtrises l'orgueil de la mer
> quand ses flots se soulèvent,
> c'est toi qui les apaises »...
>
> (Ps. LXXXIX, 10)

Une nuit, les disciples se trouvant sur une barque, au milieu de la mer, le vent leur était contraire : ils virent Jésus s'avancer vers eux en marchant sur l'eau. Il apaisa leur frayeur ; il appela Pierre : celui-ci marcha, lui aussi sur les eaux, se dirigeant vers Jésus, puis, il eut peur ; il commençait à s'enfoncer ; il s'écria : « Seigneur ! Sauve-moi ! » Aussitôt, Jésus, tendant la main le saisit et lui dit : « Homme de peu de foi, pourquoi as-tu douté ? » Et comme ils montaient dans la barque, le vent se calma. (Cf. Mt. XIV 22-32 ; Mc VI, 45-51).

Il convient de citer, pour finir, la pêche miraculeuse opérée par le Christ ressuscité, en faveur de ses disciples (Cf. Jn. XXI, 6 ; Lc. V, 4-7).

Les vertus attachées à l'eau et reconnues par les hommes de tous les temps sont mentionnées dès le début de l'histoire. On rencontre un grand nombre de cultes et de rites particuliers qui s'adressent aux sources, aux rivières et aux fleuves. Certaines sources

(symbole viril) ont la réputation de guérir la stérilité des femmes avides de boire de cette eau et de s'y tremper.

Mircea Eliade dit : « L'eau coule, elle est ''vive'' ; elle est agitée ; elle inspire ; elle guérit ; elle prophétise. En eux-mêmes, la source ou le fleuve manifestent la puissance, la vie, la pérennité ; ils *sont* et sont *vifs*. Ainsi, ils acquièrent une autonomie et leur culte dure en dépit d'autres épiphanies et d'autres révolutions religieuses [14]. » L'Église, au Moyen Âge essaya vainement de supprimer les pratiques superstitieuses centrées sur l'eau. (L'auteur que l'on vient de citer évoque à ce sujet : Cyrille de Jérusalem : le IIe Concile d'Arles au Ve siècle et le Concile de Trèves en 1227.) D'autre part on sait que les hommes ont recours depuis des millénaires aux eaux thermales dont la réputation est de guérir telle ou telle maladie. La science, grâce à des analyses approfondies leur reconnaît des valeurs curatives certaines et diversifiées. De plus, la dévotion populaire attribue des vertus miraculeuses à des sources, jaillissant le plus souvent dans des grottes, ce qui ajoute à leur caractère mystérieux. Lourdes est l'exemple typique des temps modernes. Les guérisons qui s'y produisent sont-elles des phénomènes d'ordre psychique ou sont-elles provoquées par des mécanismes que l'état actuel de la science ne permet pas encore d'expliquer ? Ou encore ont-elles une cause surnaturelle ? En tout cas la ferveur, la foi des foules qui se pressent à Lourdes y créent un climat particulier. Les malades, guéris ou non, en repartent apaisés. Le Gange est également un exemple frappant des vertus de purification, de renouvellement et donc de « vie » que l'homme attribue spontanément à l'eau.

---

14. *Traité d'Histoire des Religions,* p. 177.

2. L'EAU : INSTRUMENT DE MORT

Le Déluge

L'eau, élément essentiel à toute vie, peut devenir un élément de mort sous forme de tempêtes et d'inondations. Les Anciens considéraient ces phénomènes naturels comme étant provoqués par la divinité pour châtier ou anéantir les hommes coupables.

Les traditions religieuses les plus anciennes ont retenu le souvenir d'inondations catastrophiques. D'après les légendes, transmises de génération en génération dans la mémoire des peuples, ces phénomènes locaux se sont transformés, chacun, en un déluge de portée universelle, durant lequel tous les hommes auraient péri à l'exception du « Juste ». Les récits relatifs au « déluge » se retrouvent en Asie Mineure, en Iran, en Chaldée, aux Indes, en Grèce, en Chine, chez les Aztèques... Les versions akkadiennes datent de deux mille ans avant notre ère, les documents mésopotamiens de dix huit cents ans avant notre ère, et le document biblique de douze cents ans avant notre ère, sans pour cela pouvoir affirmer que le rédacteur de la Genèse ait été influencé par les récits précédents [15]. André Parrot situe le déluge biblique en Mésopotamie au cinquième ou sixième millénaire avant Jésus-Christ [16].

Nous nous contenterons ici, après avoir rappelé les données bibliques et coraniques de citer « l'épopée de Gilgamesh » et les « Métamorphoses d'Ovide » comme étant les plus proches de la Bible.

Voici la trame des récits : La divinité veut anéantir la race humaine à cause de ses crimes, en déversant sur elle les cataractes du ciel. Le « Juste » sera sauvé, ainsi

---

15. R. Le Déaut, *Le Déluge babylonien,* 1952, p. 110.
16. *Le Déluge et l'Arche de Noé,* 1970.

que son épouse, grâce à l'arche ou au bateau qu'il aura lui-même construit sur les ordres venus d'En Haut. Une nouvelle humanité naîtra de ce couple privilégié.

D'après la Genèse (VI, 7-8), Yahvé dit : « Je vais effacer de la surface du sol les hommes que j'ai créés... et, avec les hommes, les bestiaux, les bestioles et les oiseaux du ciel. » Mais Noé avait trouvé grâce aux yeux de Yahvé... Sophonie se souvient de ces menaces car Dieu lui dit : « Oui... oracle de Yahvé : je supprimerai hommes et bêtes... Je retrancherai les hommes de la face de la terre » (Cf. Soph. I, 2-3). La Genèse ajoute : « Mais Noé avait trouvé grâce aux yeux de Yahvé. »

On lit dans le livre d'Hénoch que le Très-Haut envoya un émissaire au fils de Lamech (Noé) : « Dis-lui en mon nom... que la terre entière va périr, une eau de déluge va venir sur toute la terre et ce qui se trouve sur elle périra [17]. » D'après le Zohar : « Noé avertissait les coupables , mais ceux-ci négligeaient ses avertissements [18]. » Le Targum fait dire à Dieu : « Voici que je donne (aux hommes) un délai de sept jours : s'ils se convertissent, il leur sera pardonné ; mais s'ils ne se convertissent point, après une nouvelle période de sept jours, je vais faire descendre la pluie sur la terre pendant quarante jours et quarante nuits et j'anéantirai tout corps d'homme et de bête... les enfants des hommes ne se convertirent pas, et les eaux du déluge se mirent à descendre bouillantes des cieux sur la terre [19]. » (On lit dans le Coran (XI, 40) : « Lorsque vint notre Ordre — celui qui déclencha le déluge — et que le four se mit à bouillonner »...)

Plusieurs autres textes de la tradition juive, font mention des avertissements donnés par le « juste » au peuple coupable pour qu'il se convertisse. On peut

---

17. Trad. F. Martin, 1906, X, 2, p. 22.
18. *Noah,* éd. Echkol, p. 345.
19. Cf. *Le Zohar, op. cit.,* p. 316 qui cite *Pirke rabbi Eliezer.*

donc en conclure que Noé, le « juste », destiné à survivre au cataclysme connaissait les menaces qui pesaient sur les hommes criminels et qu'il essaya, en vain de les convertir. On cite les midrash Tanhuma, le Talmud de Jérusalem, les Oracles sibyllins, Flavius Josèphe... [20]. La version coranique se rapproche de ces textes ; elle dit :

Nous avons envoyé Noé vers son peuple :
« Je suis pour vous un avertisseur explicite
pour que vous n'adoriez que Dieu.
Je crains pour vous
le châtiment d'un jour douloureux. »
(Cor. XI, 25-26)

Yahvé dit, d'après la Genèse : « La fin de toute chair est arrivée... » Mais Noé avait trouvé grâce aux yeux de Yahvé : Noé était un homme juste et intègre, et comme son ancêtre Hénock « il marcha avec Dieu » (Gen. V, 22 ; VI, 9). Le Prophète Ezéchiel répète que « Noé fut sauvé à cause de sa justice » (Ezéch. XIV, 14 ; cf. Sag. X, 4 ; Hébr. XI, 7). Le livre de l'Écclésiastique insiste : « Noé fut trouvé parfaitement juste, au temps de la colère il fut le surgeon : grâce à lui un reste demeura sur la terre lorsque se produisit le déluge. Des alliances éternelles furent établies en lui, afin qu'aucune chair ne fût plus anéantie par le déluge » (Eccli. XLIV, 17-18). L'auteur du livre de la Sagesse (XIV, 6) voit en Noé « le germe d'une génération nouvelle ». Pierre (II Pr. II, 5) le nomme : « Héraut de justice ».

Ovide, dans les *Métamorphoses*, écrit au sujet de son héros : Deucalion, que l'on pourrait assimiler à Noé : « Jamais homme ne fut plus vertueux que celui-

20. Midrash Tanhuma, *Noah* 5. — T. J. *Sanh.* X, 29, b ; *Rosh ha Shanah* 12 a... — *Les oracles sibyllins,* trad. Bouché Leclercq, R.H.R. VII, 1883, p. 242 — Flavius Josèphe : *Les Antiquités judaïques,* I, 3, 1.

là, ni plus soucieux de la justice, jamais femme n'eut, plus que la sienne, la crainte des dieux [21]. » Théophyle d'Antioche proteste : « Il ne s'agit pas de Deucalion, mais de Noé. Celui-ci annonce le déluge pour engager tous les hommes à la pénitence [22]. » Philon reconnaît également Noé dans le héros antique.

D'après le Coran, Noé est l'envoyé du Seigneur des mondes, choisi, élu, digne de foi (Cf. *Monothéisme coranique et monothéisme biblique,* p. 340s.)

D'après les tablettes de Gilgamesh : « Des dieux décidèrent de provoquer un déluge pour se venger des hommes. » Le poème d'Atrahasis parle de « punition de l'humanité coupable ». La Genèse nous dit : « Yahvé vit que la méchanceté des hommes était grande sur la terre... toute chair avait une conduite perverse. » Le déluge est donc un châtiment décidé à la suite d'un jugement, comme l'indique le Psaume XXIX (Vt. 10) en disant : « Yahvé a siégé pour le déluge. »

D'après les trois textes allégués : Gilgamesh, Genèse, Coran, la Divinité ordonne la construction du vaisseau destiné à sauver le héros et sa famille. Le dieu Ea, d'après l'écrit babylonien, trace lui-même le plan du bateau dont le nom sera : « Gardien de la vie. » Un toit le recouvrira ; il sera enduit de bitume ; il comportera sept compartiments superposés.

Dieu dit à Noé : « Fais-toi une arche de bois résineux... en roseaux... enduite de bitume... comportant trois étages et un toit » (Cf. Gen. VI, 14 s...). Le mot *têbah* appliqué ici à l'arche reviendra plus tard pour désigner l'arche d'alliance qui contiendra les Tables de la Loi.

Le Coran reprend : « Il fut révélé à Noé : ''Construis le vaisseau sous nos yeux et d'après notre révéla-

---

21. Trad. Lafaye, 1969, Livre I, p. 18.
22. *Ad autolycum,* III, 19.

tion. Ne me parle plus des injustes, ils vont être engloutis"... Mais les chefs se moquaient de lui » (Cor. XI, 36-38). Il fut traité de menteur, de possédé...

Le héros du texte babylonien fait monter dans l'arche : « La semence de toute vie : sa famille, ses proches, des animaux domestiques, des animaux sauvages. »

Quant à Noé, il fit entrer dans l'arche, selon l'ordre de Dieu : sa femme ; ses trois fils et ses trois brus ; un mâle et une femelle de chaque espèce d'animaux purs et impurs... L'Apôtre Pierre dit que lors du déluge : « huit personnes furent sauvées par l'eau » ou « à travers l'eau » (I Pr. III, 20).

Allah, d'après le Coran, dit à Noé : « Lorsque notre Ordre viendra (c'est-à-dire le déluge : effet de l'ordre divin)... fais entrer dans ce vaisseau un couple de chaque espèce, ainsi que ta famille », à l'exception d'un « fils », qui, par suite de sa désobéissance « fut au nombre de ceux qui furent engloutis »... (Cf. Cor. XXIII, 27 ; XI, 43). La Sourate XI (Vt. 40) situe « les croyants » parmi ceux qui furent admis dans l'arche. Des auteurs chrétiens tels que Clément de Rome et Théophyle d'Antioche pensent que ceux qui avaient écouté les avertissements de Noé furent sauvés.

Le texte babylonien fait durer le déluge six jours et six nuits, et d'après le texte sumérien, « le déluge couvrit le pays pendant sept jours et sept nuits ».

La Genèse annonce ainsi le début du déluge : « Toutes les sources du grand abîme (le *tehom* dont il est parlé au début de la création du monde) et les écluses des cieux s'ouvrirent, la pluie tomba sur la terre quarante jours et quarante nuits... Les plus hautes montagnes... furent couvertes... Alors, périt toute chair qui se meut sur la terre et tous les hommes... Ils furent effacés de la terre et il ne resta que Noé et ce qui était avec lui dans l'arche... La crue des eaux sur la terre dura cent cinquante jours. » (Cf. Gen. VII). Le Livre des Jubilées reprend le même nombre de jours ; il ajoute : « Le Seigneur ouvrit les sept écluses du ciel, les sources, le grand abîme. » Le Prophète Isaïe dit : « Les écluses ont été ouvertes dans les cieux élevés et les fondements de la terre furent ébranlés » (Is. XXIV, 18).

La XIe Tablette de l'épopée de Gilgamesh déjà citée d'après Conteneau, parle de pluie continue, de tonnerre provoqué par le dieu Adad ; le dieu Nimuta « fait couler le réservoir des cieux » ; la fureur d'Adad remplit les cieux : « Tout ce qui était clarté devient ténèbres. Le déluge rapide s'étend sur le pays »... « Dans les cieux, les dieux prennent peur du déluge, ils fuient, ils montent au ciel du dieu Anu. »

On lit dans les *Métamorphoses* d'Ovide (op. cit. p. 16-18) : « Jupiter (qui avait déjà lancé ses foudres)... ne se contente pas de faire servir à sa colère le ciel... mais son frère azuré (Neptune) lui donne encore des ondes pour auxiliaires. Il convoqua les fleuves ; quand ils sont entrés au séjour de leur maître (il leur dit) : "Déployez vos forces... ouvrez vos demeures (i. e. les abîmes), renversez vos digues, lancez vos flots à toutes brides"... Ceux-ci dégagent les bouches des sources et, d'une course effrénée, roulent vers les mers... Débordés, les fleuves s'élancent à travers les plaines... Déjà on ne distinguait plus la mer de la terre : tout était Océan ; l'océan lui-même n'avait plus de rivages... Les dauphins habitent les forêts. Le loup nage au milieu des brebis... l'oiseau errant, ses ailes lasses, tombe dans la mer... Des flots battent les sommets des montagnes. »

Parole d'Allah : « Nous avons ouvert les portes du ciel à une eau torrentielle. Nous avons fait jaillir les sources de la terre et les eaux se mêlèrent » (LIV, 11-12). On constate ici, le phénomène inverse à celui qui se produisit lors de la création du monde : la séparation des eaux et l'apparition de la vie ; le Psaume

CIV parle, en effet « d'une limite que les eaux ne doivent pas franchir ». Le Livre des Proverbes (VIII, 29) dit que Yahvé assigna son terme à la mer. Le Coran revient à trois reprises sur le fait que Dieu a placé entre les deux mers : l'une douce et l'autre amère, une barrière, une limite infranchissable. La réunion de toutes les eaux, lors du déluge, instaura un désordre momentané, un châtiment voulu de Dieu qui causa la mort des hommes criminels.

Le déluge s'arrêta ; les eaux commencèrent à diminuer. Ovide dans ce même Ier livre (P. 18-19) décrit la fin du déluge provoquée par les divinités de l'Aquilon : « Il ne subsiste plus rien des fureurs de la mer ; déposant son trident, le roi des Océans (Neptune) apaise les flots... Triton prend sa trompe... elle se fit entendre... toutes les eaux de la terre et de la mer et toutes les eaux en l'entendant reculèrent... l'univers était restauré. »

Mais Noé, dès la décrue des eaux avait lâché un corbeau pour se rendre compte de l'état de la terre. L'oiseau ne revint pas. Il lâcha alors une colombe : celle-ci revint une première fois ; puis, une seconde fois, elle rapporta dans son bec un rameau d'olivier ; une troisième fois, elle ne revint plus ; la terre était donc redevenue habitable. Le texte babylonien mentionne les oiseaux envoyés en explorateurs : une colombe et une hirondelle revinrent ; le corbeau ne revint pas.

L'arche s'arrêta enfin sur le Mont Nizir, d'après la tablette de Gilgamesh ; sur les Monts Ararat, d'après la Genèse ; sur le Mont Luba (El Bruz) d'après la tradition juive (Livre des Jubilées, Livre de Noah). D'après Ovide ; Deucalion et son épouse Pyrrha, sortirent de la nacelle qui les avait préservés du déluge et ils se rendirent au Parnasse. Le Coran fait arrêter l'arche sur le Mont Joudi (Cor. XI, 44).

Lorsque la terre fut asséchée, le héros du déluge babylonien offrit un sacrifice de tous les animaux purs et de tous les animaux impurs (Cf. Gen. VIII, 20). Dieu bénit Noé et ses fils ; il leur dit : « Soyez féconds, multipliez, emplissez la terre » (Gen. IX, 1). D'après Ovide (*op. cit.*, p. 20) : Deucalion dit à Pyrrha : « Aujourd'hui, nous sommes à nous deux tout ce qui subsiste de la race mortelle.» Mais bientôt, d'après l'ordre divin « ils lancent des pierres derrière leurs pas... Les pierres lancées par des mains masculines prirent la forme d'un homme et le sexe féminin dut une nouvelle vie à celles qu'une femme avait jetées »... Allah dit simplement : « Paix et bénédiction sur Noé et sur les futures communautés » (Cor. XI, 48).

La renaissance du genre humain, d'après la Genèse, consécutive au déluge est exprimée en des termes semblables à ceux déjà cités au sujet de la création. Tous les animaux sont, de nouveau mis à la disposition de l'homme : à son « service » comme il est dit dans le Coran à propos de la création d'Adam. La promesse d'une descendance nombreuse sera réitérée à Abraham. Philon considère Noé comme le « fondateur d'une nouvelle race d'hommes car Dieu le jugea digne d'être et fin et point de départ de notre race : fin de ceux d'avant le déluge et de ceux d'après le déluge, point de départ » (De Abrahamo, 46 ; cf. Eccli. XLIV, 17-18). Cyrille de Jérusalem s'exprime dans des termes semblables lorsqu'il écrit, en pensant à la Croix du Christ et au baptême : « Au temps de Noé, le salut des hommes se fit par le bois et par l'eau : (ce qui marqua) le commencement d'une nouvelle génération.» (Catechesis, XVII ; cf. Targum, *op. cit.* p. 124.)

Enfin, Dieu conclut avec Noé et ses descendants une alliance éternelle (Gen. IX, 16). Le déluge ne se renouvellera plus jamais. Dieu dit au prophète Isaïe (LIV, 9) : « J'ai juré que les eaux de Noé ne submergeront plus la terre.» D'après Job, comme on l'a déjà dit : Yahvé a découpé « sa limite à la mer » en lui disant : « Tu n'iras pas plus loin » (XXXVIII, 10-11 ; Ps. CIV, 9). Cette alliance sera renouvelée en faveur d'Abraham, puis de Moïse, en accord avec son peuple. Elle trouvera son plein épanouissement en la personne de Jésus, Verbe incarné : nouvelle Alliance ; alliance éternelle dans laquelle se retrouvent tous les baptisés, c'est-à-dire ceux qui naissent à une vie nouvelle par l'eau et l'Esprit.

Il ressort des différents textes brièvement cités quatre thèmes majeurs. Le jugement : Dieu voit la méchanceté des hommes et il les condamne. Le châtiment survient sous la forme du déluge. Seuls, le juste et sa famille furent sauvés grâce à l'arche construite sur l'ordre de Dieu. Une renaissance de l'humanité s'ensuivit, marquée par l'établissement d'une alliance entre Dieu et les hommes.

Phénomènes naturels

Le souvenir du déluge persiste dans les écrits postérieurs ; il se retrouve chez les Pères de l'Église sous forme de préfiguration du Baptême chrétien, comme on le verra plus loin.

Le Psalmiste dans l'épreuve s'écrit en s'adressant à Dieu :

Délivre-moi de la boue, que je n'y enfonce pas,
que je sois délivré du tumulte des eaux profondes,
que le flot des eaux ne me submerge pas,
que ne m'engloutisse pas le gouffre,
et que le puits ne referme pas sa bouche sur moi !
(Ps. LXIX, 15-16 ; tr. Dhorme)

Mais Yahvé est aussi le sauveur. Voici ce qu'on lit dans le Psaume CXXIV :

Alors les eaux nous submergeaient
le torrent passait sur nous,
alors il passait sur notre âme
en eaux écumantes.

Béni Yahvé qui n'a point fait de nous
la proie de leurs dents.
Notre âme comme un oiseau s'est échappée
du filet de l'oiseleur.

(Ps. CXXIV, 4-7)

Les invasions ennemies, dévastatrices, sont parfois assimilées par les auteurs des Psaumes et par les prophètes aux « grandes eaux », c'est-à-dire au déluge. Le psalmiste demande à Yahvé de le délivrer de ses ennemis en lui disant : « Libère-moi, délivre-moi des grandes eaux, de la main des fils de l'étranger » (Ps. CXLIV, 7).

Le prophète Isaïe menace le peuple coupable en lui disant :

« Le Seigneur fera monter contre vous
les eaux puissantes et profondes du Fleuve
il débordera de son lit
et franchira toutes ses berges
il inondera Judas, submergera, se déversera,
il atteindra jusqu'au cou. »

(Is. VIII, 7-8)

Ailleurs, ce même auteur s'écrie :

O rumeur des ondes immenses
rumeur, comme la rumeur des mers
grondement des nations qui grondent
comme grondent les grandes eaux.

(Is. XVII, 12)

Plus loin (XXVIII, 2), l'ennemi est ainsi décrit : « Un fort... un puissant envoyé par le Seigneur, comme une tornade de grêle, comme une tempête dévastatrice, comme une tornade d'eaux abondantes et débordantes. »

Le prophète Jérémie fait allusion, lui aussi, au déluge lorsqu'il dit que les Philistins sont comparables à « un fleuve débordant qui submerge le pays et ce qu'il contient, les villes et leurs habitants » (Jér. XLVII, 2).

L'intervention divine s'est manifestée plusieurs fois sous forme de châtiment provoqué par l'eau, d'après les récits bibliques.

La cité coupable, Sodome, au temps d'Abraham fut anéantie par « une pluie de soufre et de feu ». Relatant ce même épisode, le Coran parle de « pluie fatale » ; d'« ouragan » ; d'une « pluie de pierres d'argile ». Les « hôtes honorés » d'Abraham, c'est-à-dire des anges, avaient dit à celui-ci : « Nous allons faire tomber du ciel un cataclysme... Nous avons fait (des habitants de la ville coupable) un Signe pour un peuple qui comprend » (Cor. XXIX, 34-35).

Parmi les dix « plaies d'Égypte », l'Exode cite : « l'eau changée en sang » comme on l'a vu plus haut, et aussi, la grêle accompagnée de tonnerre, d'éclairs et de la foudre ce qui fit périr le bétail, « hacha toutes les herbes et brisa tous les arbres » (Cf. Ex. IX, 22-26). Le Psaume CV (Vt. 32) rapproche les deux éléments destructeurs en comparant la grêle à des « flammes de fer ».

Grâce à l'intervention de Moïse la mer des roseaux se fendit, comme on l'a déjà vu, pour laisser passer les fils d'Israël. Cette eau qui, en se déplaçant sauva la vie des Hébreux, détruisit entièrement les armées ennemies, lorsqu'elle reprit son cours normal : « La mer les recouvrit, ils s'enfoncèrent comme du plomb dans les eaux formidables » (Cf. Ex. XIV - XV). Ce texte cite « l'abîme », le *Tehom* dont il est parlé au début de la Genèse et au sujet du déluge. Il en sera encore question dans l'Apocalypse : on remet à l'ange « la clef du puits de l'abîme » qui déclenchera les fléaux annoncés par la cinquième trompette (Apoc. IX, 1).

Il convient ici de rappeler le récit biblique concernant le prophète Jonas, étant donné que le Christ a évoqué comme un « signe » de sa mort et de sa résurrection, l'épisode symbolique selon lequel Jonas a passé trois jours et trois nuits dans « le ventre du poisson » (Mt. XII, 40) et par conséquent au sein de l'océan. Sa faute avait été, d'après le livre qui porte son nom, de désobéir à Dieu et de s'enfuir. Il monta alors sur un bateau en partance. Une tempête s'éleva : les marins « lancèrent Jonas à la mer » qui se calma aussitôt. « Yahvé commanda à un grand poisson d'avaler Jonas et Jonas fut dans les entrailles du poisson trois jours et trois nuits »... Des entrailles du poisson il pria Yahvé, en empruntant plusieurs versets des Psaumes où il est question de l'abîme insondable des Océans. Il dit :

> De ma détresse j'ai crié vers Yahvé
> et il m'a répondu ;
> du sein du Sheol j'ai appelé,
> tu as entendu ma voix...
>
> Tu m'avais jeté au plus profond du cœur des mers
> et un fleuve m'encerclait,
> toutes tes lames et tes vagues
> avaient passé sur moi...
>
> Les eaux m'ont enveloppé jusqu'au cou,
> l'Abîme m'encercle,
> une algue est nouée à ma tête...
> (Jonas II, 2-6 ; trad. Dhorme)

« Alors Yahvé commanda au poisson et celui-ci cracha Jonas sur la terre sèche » (Jonas, II, 11). Yahvé avait pardonné la faute de son prophète : Jonas se dirigea alors vers Ninive dont il convertit les habitants.

On lit dans le Coran : Jonas s'était enfui « sur le vaisseau bondé... il se trouva au nombre des perdants » (on comprend qu'il s'agit, d'après la Bible, du tirage au sort à la suite duquel les marins jetèrent Jonas dans la mer)... « le poisson l'avala »... Allah dit : « Nous l'avons, après cela, rejeté malade sur la terre nue... Nous l'envoyâmes à cent mille hommes. Ils crurent »... (Cf. Cor. XXXVII, 139-148).

Le Coran situe Jonas au nombre des prophètes et des justes. La tradition musulmane l'appelle « l'Homme au Poisson » (Cor. XXI, 87 ; LXVIII, 48).

Après avoir mentionné les circonstances miraculeuses dans lesquelles l'eau intervient comme instrument d'un châtiment divin, voyons comment des phénomènes purement naturels peuvent être encore interprétés comme des interventions divines destinées à punir les coupables.

La violence des eaux est une image saisissante de la puissance divine :

> Les fleuves déchaînent, Ô Yahvé,
> les fleuves déchaînent leur voix
> les fleuves déchaînent leur fracas :
> plus que la voix des eaux innombrables
> plus superbe que le ressac de la mer,
> Yahvé est superbe dans les hauteurs.
>
> (Ps. XCIII, 3-4)

L'homme aux prises avec la tempête, y voit une manifestation de la colère divine : il dit à Dieu :

> Tu m'as mis au tréfonds de la fosse,
> dans les ténèbres, dans les abîmes,
> sur moi pèse ta colère
> et tes houles, tu les déverses...
> Sur moi ont passé tes colères
> tes épouvantes m'ont réduit à rien.

Elles me cernent comme l'eau tout le jour,
se referment sur moi toutes ensemble.

(Ps. LXXXVIII, 7-8 ; 17-18)

Cependant, les marins reconnaissent la puissance du Très Haut :

Descendus en mer sur des navires,
ils faisaient négoce parmi les grandes eaux ;
ceux-là ont vu les œuvres de Yahvé ;
ses merveilles parmi les abîmes.

Il dit et fit lever un vent de bourrasque
et il souleva les flots ;
tournoyant, titubant comme un ivrogne,
leur sagesse était toute avalée.

Et ils criaient vers Yahvé dans la détresse
de leur angoisse il les a délivrés...

(Ps. CVII, 23-28)

Le Coran, lui aussi, parlant du vaisseau voguant sur la mer donne cette description :

... Lorsqu'une vague,
semblable à des ténèbres les recouvre,
les hommes invoquent Dieu
en lui rendant un culte pur.

Après que Dieu les a sauvés
en les ramenant sur la terre ferme,
certains d'entre eux se maintiennent
    dans la bonne voie ;
seul, l'homme inconstant et ingrat nie nos signes.

(Cor. XXXI, 32)

Ailleurs, il est dit au sujet des actions des incrédules :

Elles sont... semblables
à des ténèbres sur une mer profonde :
une vague la recouvre,

sur laquelle monte une autre vague ;
des nuages sont au-dessus.
Ce sont des ténèbres amoncelées
les unes sur les autres.

(Cor. XXIV, 40)

D'après plusieurs Psaumes, l'angoisse du naviga-
teur, au milieu d'une tempête est provoquée par cette
force incommensurable contre laquelle il ne peut lutter
et qui l'entraîne vers l'ensevelissement et la mort ; il
s'écrie alors :

Sauve-moi, Elohim,
car les eaux m'arrivent jusqu'à la gorge.
J'enfonce dans le bourbier
et rien pour me raccrocher.
Je suis entré au plus profond des eaux
et le flot me submerge.

(Ps. LXIX, 2-3)

L'abîme appelle l'abîme
au bruit de tes cataractes
et toutes les lames des vagues
ont passé sur moi.

(Ps. XLII, 8)

La tempête est souvent accompagnée de tonnerre et
d'éclairs. Le tonnerre, dans l'Ancien Testament est
assimilé à la voix de Dieu. Tous ces phénomènes naturels concourent à susciter la frayeur chez les hommes ;
ceux-ci redoutent le châtiment divin ; ils craignent le
Dieu trois fois saint auquel toute existence est suspen-
due. Jérémie décrit, lui aussi, la fureur des éléments. Il
en conclut que les idolâtres, effrayés à ces spectacles,
renoncent à leurs idoles et se convertissent au Dieu
d'Israël, le Dieu unique. Voici ce qu'il dit :

Quand Dieu donne de la voix,
c'est un mugissement d'eau dans le ciel ;

il fait monter les nuages du bout de la terre ;
il produit des éclairs pour l'averse
et tire le vent de ses réservoirs.

(Jér. X, 13)

Le Psaume XXIX est consacré à « la voix de
Yahvé » : à ses différents effets, bienfaisants ou dévas-
tateurs, sur cette terre et à la gloire divine dans les
cieux :

Voix de Yahvé au-dessus des eaux !..
La voix de Yahvé fait jaillir des flammes de feu,
tandis que, dans son Temple, chacun dit :
« Gloire ! »
Yahvé trônait lors du déluge,
Yahvé trône en roi, à jamais...
(Ps. XXIX, 3, 7, 9-10)

Le Coran, lui aussi, associe le tonnerre à la louange
de Dieu, sans oublier la menace du châtiment à
l'adresse des hommes coupables :

C'est Dieu qui vous fait voir l'éclair ;
— sujet de crainte et d'espoir —
c'est lui qui fait naître les lourds nuages.
Le tonnerre et les anges
célèbrent ses louanges avec crainte.
Il lance les foudres en atteignant qui il veut,
tandis que les hommes discutent au sujet de Dieu,
alors qu'il est redoutable en sa force.
(Cor. XIII, 12-13)

Jean, dans son Apocalypse, mentionne ces clameurs
célestes quand il dit : « Alors, j'entendis... comme le
mugissement des grandes eaux, comme le grondement
de violents orages ; on clamait : « Alleluia ! Car il a
pris possession de son règne, le Seigneur, le Dieu, le
Maître de tout »... (Apoc. XIX, 6).

Ces phénomènes : tremblement de terre, tonnerre, éclairs, foudre, accompagneront la fin du monde, suivie du Jugement dernier.

Déjà Isaïe prévoyait les châtiments qui atteindront les hommes coupables : il fait dire à Yahvé : « J'ébranlerai les cieux ; la terre bougera de sa place sous la fureur de Yahvé Sabaoth, le jour où s'allumera sa colère » (Is. XIII, 13).

L'évangéliste Luc dit, en parlant de ces phénomènes cosmiques : « Les nations seront dans l'angoisse, inquiètes du fracas de la mer et des flots » (Lc. XXI, 25).

Le Coran, à propos de la fin du monde, parle de tremblements de terre (« Ce sera quelque chose de terrible »), d'éclairs, de foudre, mais non de cataclysme provoqué par l'eau.

Les élus trouveront dans le Paradis coranique des boissons délicieuses, tandis qu'en Enfer, les damnés seront abreuvés d'eau bouillante, ou fétide : eau de mort par opposition avec l'eau qui donne et entretient la vie...

Tel est le sens et la portée de la purification par l'eau, admise par plusieurs traditions religieuses qui, ainsi, distinguent le sacré du profane comme on va essayer de le démontrer dans le chapitre suivant.

3. L'EAU PURIFICATRICE

D'après la Bible, Jacob, à la suite du rêve durant lequel il avait vu une échelle qui montait jusqu'aux cieux, entendit la voix de Yahvé : Dieu est présent ; il s'écrie alors : « Que ce lieu est redoutable ! Ce n'est rien moins qu'une maison de Dieu et la porte du ciel !.. Il donna à ce lieu le nom de Bethel : maison de Dieu » (Gen. XXVIII, 17,19).

Dieu parle à Moïse dans le désert, du milieu du buisson : « N'approche pas d'ici. Ôte tes sandales de tes pieds, car le lieu que tu foules est une terre sainte » (Ex. III, 5).

Plus tard, lorsque Moïse monta au Sinaï « à la rencontre de Dieu », il fut interdit au peuple, sous peine de mort, d'en approcher.

La gloire de Yahvé remplit le Temple que Salomon venait d'achever. Il dit : « Yahvé a décidé d'habiter la nuée obscure » puis, s'adressant à lui, il ajouta : « Oui, je t'ai construit une demeure, une demeure où tu résides à jamais » (I Rois, VIII, 12-13). Ensuite, les prêtres offrirent d'abondants sacrifices sur lesquels le feu du ciel descendit : c'est ainsi que fut célébrée la dédicace du Temple, lieu saint par excellence, édifié par le roi Salomon. (Cf. II Chron. VII ; voir plus loin p. 115.)

Ce préambule, où l'eau ne figure pas, est destiné simplement à préciser la notion de « lieu saint ».

La liturgie catholique prévoit une longue et majestueuse cérémonie pour la consécration d'une église et son autel. Une fête de la dédicace rappelle chaque année aux fidèles la date de la consécration de tel ou tel sanctuaire. Chaque église ou chapelle est simplement bénite ; elle doit être, en outre préservée de toute souillure. Une purification (prières spéciales et aspersion d'eau bénite) est célébrée à titre de « réparation » à la suite de toute « profanation ».

Le Musulman ne doit pénétrer dans une mosquée qu'en état de pureté légale. L'enceinte où se trouve la *Ka'aba* (bâtie, d'après le Coran par Abraham aidé de son fils Ismaël), la Mekke et les lieux environnants sont interdits aux non musulmans sous peine de mort.

Toutes les religions anciennes exigent des croyants qui se disposent à accomplir un acte culturel, d'être en état de pureté rituelle. Celle-ci relève d'une propreté corporelle qui s'étend jusqu'aux vêtements.

D'après les Sémites, israélites et musulmans, cet état de pureté se perd par de simples contacts matériels, même involontaires, indépendamment, le plus souvent, de toute implication morale. Le croyant sincère voit dans les ablutions, un symbole de ses dispositions intérieures : la pureté du cœur nécessaire à celui qui veut s'approcher de Dieu ; l'entrée dans le domaine du « sacré » ; la séparation voulue de tout ce qui est « profane ».

L'eau, en lavant le corps devient un instrument de renouveau spirituel ; l'homme retourne à l'élément nécessaire au commencement de toute vie : il renaît, pour ainsi dire, au contact de l'eau, à condition d'accomplir ce geste avec l'intention de se purifier, en attendant de Dieu le pardon de ses fautes. Cependant, il ne faut pas oublier que Dieu seul rend pur ce qui ne l'était pas. Les ablutions ne comportent, dans l'esprit des croyants, aucune efficacité magique.

Le Psalmiste dit à Dieu :

Lave-moi de toute malice,
de ma faute purifie-moi...
Purifie-moi avec l'hysope, je serai net ;
lave-moi : je serai blanc plus que neige...

O Dieu, crée en moi un cœur pur,
restaure en ma poitrine un esprit ferme.
(Ps. LI, 4, 9, 12)

La réponse vient de cette vue prophétique du prophète Zacharie qui ferait penser au futur baptême chrétien : « Il y aura une source ouverte à la maison de David et aux habitants de Jérusalem, pour le péché et l'impureté » (Zach. XIII, 1).

Le prophète Ezéchiel connaît la valeur de la pureté intérieure. Yahvé lui dit : « Je répandrai sur vous une eau pure et vous serez purifiés de toutes vos souillures... Je vous donnerai un cœur nouveau, je mettrai en vous un esprit nouveau, j'ôterai de votre chair le cœur de pierre, et je vous donnerai un cœur de chair. Je mettrai mon esprit en vous »... (Ezéch. XXXVI, 25-27 ; cf. plus haut p. 40).

Quant aux musulmans, il leur suffit d'accomplir, en état de pureté légale, un acte cultuel quelconque, profession de foi, prière rituelle, jeûne, pèlerinage, en les faisant précéder de l'intention formelle de l'accomplir (ce mot n'est pas dans le Coran mais la disposition qu'il implique est rendue obligatoire par la tradition), pour être sûr que toutes ses fautes, et même ses crimes, lui sont pardonnés : Allah les « efface ».

On se souvient des purifications méticuleuses imposées aux Israélites, dès le Lévitique. La tradition a encore ajouté à ces obligations qui semblaient déjà pesantes. En relisant les textes de l'Ancien Testament relatifs à notre propos, on aurait tendance à oublier la valeur spirituelle de ces multiples prescriptions qui semblent tenir plus de l'hygiène, de la propreté et de la bienséance que d'une révélation, alors que les Juifs croyants tiennent à exprimer leur respect pour tout ce qui est sacré, en restant fidèles à ces observances contraignantes. S'agit-il vraiment de la « Parole de Dieu » comme telle, suivant la formule qui suit chaque lecture biblique faisant partie de la liturgie latine ? Lorsque les auteurs de l'Ancien Testament dictent toutes ces prescriptions minutieuses relatives à la propreté corporelle érigée en « rite », on a quelque peine à y reconnaître une volonté divine ; d'autant plus que le Nouveau Testament s'élève contre l'observance de ces lois concernant la pureté matérielle car elles relèvent, déjà selon un texte d'Isaïe (V. plus loin p. 73) de « traditions humaines » (cf. Mc. VII, 4). Jésus lui-même dit aux Pharisiens : « Vous filtrez le moucheron et vous avalez le chameau » (Mt. XXIII, 24).

Les livres de l'Ancien Testament retracent le long acheminement du peuple de Dieu : ses erreurs, ses tâtonnements. À travers des épisodes, plus ou moins imagés et imaginaires, ils nous transmettent des valeurs religieuses irremplaçables. Ils nous montrent ainsi une évolution qui prépare la venue du Christ, Verbe incarné. Le Message essentiel mérite notre respect et notre attention, mais nous devons distinguer les données de l'histoire des interprétations symboliques et prophétiques retenues par la Bible, dans un langage adapté aux cultures des différents peuples auxquels les « Écritures » se sont adressées au cours des siècles.

L'immersion fait partie des rites de passage, de l'état de non-croyant à celui de croyant dans les trois religions monothéistes. Cette obligation se retrouve ailleurs, par exemple aux Indes où le nouveau-né, ayant reçu son nom est oint d'huile avant d'être immergé trois fois dans l'eau d'une rivière.

D'après l'Exode (XXIX, 4), la purification par l'eau précédait l'accomplissement des rites de consécration d'Aaron et de ses fils. La règle de Qumram prescrit aux Esséniens de se plonger dans l'eau plusieurs fois par jour. Cette règle fait allusion aux « pratiques baptismales des adeptes de l'alliance » ; mais, ajoute-t-elle « on est pur que si l'on se convertit de sa malice ». Toujours d'après Dupont Sommer [23] : « Une longue et éloquente tirade avertit que les ''baptêmes'' ou les ablutions ne suffisent pas, mais qu'il faut aussi que l'esprit de l'homme présente les dispositions requises et que l'Esprit Saint participe à cette purification. »

Ce texte « met en garde le lecteur contre une interprétation matérialiste ou magique de ces rites : ceux-ci ne purifient l'homme que si son esprit est vraiment

---

23. *Les Écrits esséniens découverts près de la mer Morte*, 1959, p. 61.

orienté vers Dieu. « Malgré les purifications, l'homme restera impur... tout le temps qu'il méprisera les ordonnances de Dieu. C'est par l'humilité de son âme à l'égard de tous les préceptes de Dieu que sera purifiée sa chair... C'est par l'esprit de droiture et d'humilité que sera expié son péché » (p. 92). Il est dit encore que l'ablution avant la prière est nécessaire par respect pour le Saint Nom.

Mais voici quelques précisions relatives aux ablutions prescrites dans l'Ancien Testament : une « mer d'airain » ou de bronze, ronde, de dix coudées (4,50 m) de bord à bord ; de cinq coudées (2,25 m) de hauteur avait été aménagée dans le Temple construit par le Roi Salomon (950 ans avant J.-C.) ; elle contenait deux mille mesures (900 hectolitres). (Cf. I Rois, VII, 23-26.) Les prêtres se purifiaient dans ce grand bassin ; dix petits bassins servaient à laver les victimes. (Cf. II Chron. IV, 6.)

Les impuretés majeures causées par : un épanchement séminal, des rapports conjugaux, menstrues et accouchement pour les femmes, consommation d'une viande impure, contact avec une personne en état d'impureté, contact avec un mort ou une tombe... exigeaient un lavage complet du corps et des vêtements.

Ces règles exposées dans le Livre des Lévitiques concernent plus particulièrement les lévites selon l'avertissement donné dans le livre de l'Exode (XIX, 6) : Yahvé dit, par la bouche de Moïse : « Vous serez pour moi une dynastie de prêtres et une nation consacrée » mais elles s'adressent aussi à l'ensemble des croyants.

Outre ces ablutions majeures, la Loi juive prévoit des ablutions mineures, c'est-à-dire un simple lavage des mains et des pieds.

La tradition juive impose l'ablution des mains avant l'accomplissement d'une cérémonie sacrée, avant la prière et avant les repas. (La liturgie dominicaine, entre autres, a maintenu cette coutume ; la liturgie latine la prescrit aux prêtres, avant la messe et une seconde fois avant la consécration.)

On lit dans le « Règlement ecclésiastique égyptien » : « Tous les fidèles, hommes et femmes, le matin au réveil, avant de faire quoi que ce soit se laveront les mains et prieront Dieu... De même, au milieu de la nuit, tu te laveras et tu prieras ; tu te laveras avec de l'eau pure » (XXXII, *De hora orandi*). Tertullien et Jean Chrysostome parlent de ces coutumes qui seraient, ajoutent-ils, dépourvues de valeur sans la pureté du cœur. Jacques d'Edesse rappelle l'état de pureté exigé de ceux qui se préparent à communier [24].

Eusèbe de Césarée note, au IVe siècle, l'établissement de fontaines dans les dépendances des églises, à l'usage de ceux qui avaient l'intention d'y pénétrer, comme il en existe partout en terre d'Islam, auprès des mosquées. La liturgie latine a maintenu l'usage des bénitiers placés à l'entrée des églises. Les fidèles y plongent l'extrémité des doigts de leur main droite avant de faire le signe de la croix, en pénétrant dans le saint lieu. (Timide souvenir des prescriptions mosaïques...) Les célébrants et leurs acolytes accomplissent ce même geste dans la sacristie, avant leur entrée en procession dans l'église. De plus, le célébrant asperge les fidèles avec de l'eau bénite avant la messe solennelle du dimanche. On chante alors un verset du Psaume « Miserere », psaume de pénitence selon lequel le croyant implore son pardon en disant à Dieu :

« Purifie-moi avec l'hysope : je serai purifié ;
lave-moi : je serai plus blanc que neige »...
(Ps. LI, 9)

La prière dite par le célébrant avant de gravir les trois marches qui conduisent à l'autel, est, en réalité un

---

24. *Dissertatio de Syrorum, fide et disciplina*, 1859, p. 193.

rite de pénitence, de purification [24 bis]. Le célébrant
(fût-il le pape) se reconnaît pécheur ; toute l'assemblée
des fidèles en fait autant en récitant avec lui le « confi-
teor » : « Je confesse à Dieu... j'ai beaucoup
péché »...

L'eau bénite est utilisée dans toutes les bénédictions,
en signe de purification et d'une sorte de consécration
des personnes, des lieux, des objets qui les reçoivent.
Elle est également employée lors des funérailles durant
lesquelles les textes liturgiques eux-mêmes évoquent
l'attente de la résurrection future : vie nouvelle,
symbolisée par l'eau...

Le premier geste d'Abraham accueillant ses hôtes
célestes est de leur faire apporter de l'eau pour qu'ils se
lavent les pieds. Cette coutume fait partie des usages
antiques relatifs à l'hospitalité. Elle répond à un besoin
de rafraîchissement, de propreté et de purification. (La
poussière du chemin est souillée.) C'est aussi l'idée
exprimée par Pierre, lorsque Jésus s'approche de lui
pour lui laver les pieds avant le dernier repas. Il proteste devant cet acte d'humilité accompli par le Maître.
Il l'interroge : « Toi, Seigneur, me laver les
pieds ? »... Jésus lui répond : « Si je ne te lave pas, tu
n'as pas de part avec moi. » Simon Pierre lui dit alors :
« Seigneur... pas les pieds seulement mais aussi les
mains et la tête »... Jésus ajoute : « Vous êtes purs ;
pas tous cependant », car il savait qui allait le livrer
(Cf. Jn. XIII, 1-11).

Luc (VII, 36-50) retrace la scène du repas durant
lequel la femme repentante vient laver les pieds du
Christ en les arrosant de ses larmes. Jésus dit à son
hôte : « Je suis entré chez toi et tu ne m'as pas versé

---

24 *bis.* En souvenir de la loi juive selon laquelle le grand prêtre ne pénétrait
qu'une fois par an dans la partie la plus secrète du Temple : « le saint des
saints » (Cf. I Rois VI, 16) le rituel de la messe de Pie V (1570) ajoute une
prière par laquelle le célébrant, en gravissant les trois marches de l'autel
demande une nouvelle fois à Dieu de lui pardonner ses fautes afin de pénétrer avec un esprit pur dans « le saint des saints » (de la nouvelle alliance).

d'eau sur les pieds »... ce qui montre la permanence de cette coutume juive.

À ces règles concernant la pureté corporelle, la loi mosaïque ajoutait celles concernant la nourriture : elle fait des distinctions entre les animaux purs et les animaux impurs.

La loi musulmane, elle aussi, interdit le porc ; la bête morte de mort naturelle ; la viande de tout animal qui n'a pas été saigné. Yahvé avait dit à Moïse : « Gardetoi... de manger le sang, car le sang c'est l'âme et tu ne dois pas manger l'âme avec la chair » (Deut. XII, 23).

Le Coran résume ainsi les interdictions alimentaires :

> Dieu vous a seulement interdit
> la bête morte, le sang, la viande de porc
> et tout animal sur lequel on aura invoqué
> un autre nom que celui de Dieu.
>
> (Cor. II, 173)

Seul un animal immolé au nom d'Allah est licite.

Saint Paul ne veut pas que les chrétiens mangent de la viande immolée aux idoles en participant aux repas des païens. Tout est permis quant à la nourriture : les idoles ne sont rien ; cependant les chrétiens doivent éviter de scandaliser les faibles, en mangeant ce que la loi juive interdit. Paul leur dit encore : « Mangez tout ce qui se vend au marché, sans poser de question par motif de conscience » (Cf. I Cor. VIII-X).

Jean Baptiste est le messager qui précède immédiatement le Sauveur. Il marque la fin de la prophétie de l'Ancienne Alliance qui était une préparation à la venue du Messie. Jésus est venu, non pas exactement pour abolir la Loi, dans ses principes essentiels mais pour l'accomplir. Il a maintenu cependant la purification par l'eau, c'est-à-dire le Baptême mais en lui donnant une signification nouvelle, comme on le verra plus loin. Il a modifié les anciennes coutumes de la vie sociale ; les règles minutieuses concernant la pureté physique : il les a transformées en obligations morales très exigeantes. Il faut relire les chapitres V-VII de Matthieu : « Il vous a été dit... mais moi je vous dis »... La loi nouvelle se résume en ces deux préceptes déjà connus des anciens mais dont le Nouveau Testament a approfondi la teneur : « Aimer Dieu de toute son âme et aimer son prochain comme soi-même pour l'amour de Dieu. »

Voici le résumé d'un épisode retenu par Marc (chap. VII) et par Matthieu (chap. XV). Ce récit montre clairement le passage de la Loi ancienne, dictée à Moïse au Sinaï, à la loi nouvelle instaurée par le Christ : Les Pharisiens s'étonnaient de voir certains disciples de Jésus manger du pain sans s'être lavé les mains comme le faisaient les Anciens ; ceux-ci devaient s'asperger avant de prendre leur repas lorsqu'ils revenaient de la place publique ; ils purifiaient les coupes, les récipients et les plats dont ils se servaient. « Jésus dit aux Juifs : ''Vous lavez vos ustensiles, mais vous mettez de côté le commandement de Dieu pour vous attacher à la tradition des hommes''. » Ces mêmes interlocuteurs lui posent cette question : « Pourquoi ne pas s'en tenir à la Tradition ? » Jésus leur répond en citant le Prophète Isaïe à qui Yahvé avait dit :

« Ce peuple m'honore des lèvres
mais leur cœur est loin de moi.
Vain est le culte qu'ils me rendent
les doctrines qu'ils enseignent
ne sont que préceptes humains. »

(Is. XXIX, 13)

Jésus reproche à ses auditeurs d' « annuler » les commandements de Dieu ; de ne pas en tenir compte, alors qu'ils observent minutieusement leur « Tradition »... Le Christ dit ensuite à ses disciples : « Ne comprenez-vous pas que rien de ce qui pénètre du dehors dans l'homme ne peut le rendre impur, parce que cela ne pénètre pas dans le cœur, mais dans le ventre, puis s'en va aux lieux d'aisance » (ainsi il déclarait purs tous les aliments). Il reprit : « Ce qui sort de l'homme, voilà ce qui rend l'homme impur. Car c'est du dedans, du cœur des hommes, que sortent les desseins pervers : débauches, vols, meurtres, adultères, cupidités, méchancetés, ruse, impudicité, envie, diffamation, orgueil, déraison. Toutes ces mauvaises choses sortent du dedans et rendent l'homme impur. » Jésus conclut ce discours en disant : « Manger sans s'être lavé les mains, cela ne rend pas l'homme impur » (Mt. XV, 1-20).

Le Coran recommande plus souvent la pureté du cœur et celle de la foi dans le Dieu un, que la pureté physique, matérielle. Sur environ trente-sept versets relatifs à la pureté en général, huit versets seulement traitent de la pureté rituelle. Cependant un hadith fait dire au prophète Muhammad : « La purification est la clé de la prière » et un autre : « La purification est la moitié de la foi », en écho de la tradition juive : « La pureté est proche de la piété. »

Le Coran étant, d'après les Musulmans, la parole même de Dieu dictée à son Prophète, l'état de pureté légale est requis, non seulement de ceux qui se préparent à prier chez eux ou à la mosquée, mais encore de celui qui touche un exemplaire du Livre par excellence en vertu de ce texte :

> Voici, en vérité, un noble Coran,
> contenu dans un livre caché.
> Ceux qui sont purs peuvent seuls le toucher.
> C'est une Révélation du Seigneur des mondes.
> (Cor. LVI, 77-80)

On connaît le respect avec lequel les Israélites gardent les exemplaires de la Tora et l'exposent à la vénération des fidèles. De même durant la messe solennelle, les membres du clergé catholique transportent respectueusement l'Évangéliaire qu'ils encensent avant d'en commencer la lecture.

Pour les Musulmans, la pureté de la foi prime toute autre considération : elle s'exprime avec force dans la Sourate dite du « culte pur » ; profession de foi d'un monothéisme absolu :

> Dis : « Lui, Dieu est un !
> Dieu !.. l'Impénétrable.
> Il n'engendre pas,
> il n'est pas engendré :
> nul n'est égal à lui ! »
>
> (Cor. CXII)

Les versets où le Prophète des Musulmans est considéré comme « celui qui enseigne » et « celui qui purifie » les hommes de l'erreur (mot sous-entendu), c'est-à-dire en premier lieu celle des polythéistes, marquent le caractère essentiel de son message :

> Dieu a accordé une grâce aux croyants
> lorsqu'il leur a envoyé un Prophète pris parmi eux
> qui leur récite ses versets,
> qui les purifie,
> qui leur enseigne le Livre et la Sagesse.
>
> (Cor. III, 164)

Allah purifie qui il veut ; « il veut purifier totalement » les croyants et les croyantes. La pureté est un don de la miséricorde divine ; sans sa grâce, nul ne sera jamais pur. Mais Allah ne purifiera jamais certains coupables ; si bien qu'il est dit : « Ne croyez pas (ou : ne vous fiez pas) à votre propre pureté » (LIII, 32). Cependant on lit :

> Heureux celui qui purifie son âme...
> Celui qui la corrompt est perdu.
>
> (Cor. XCI, 9-10)

75

Abraham, Isaac et Jacob ont été spécialement purifiés (Cor. XXXVIII, 46). Il est écrit à propos de Jean, fils de Zacharie :

« Nous lui avons donné la Sagesse
— alors qu'il n'était qu'un petit enfant —
et la tendresse et la pureté. »

(Cor. XIX, 12-13)

Dieu a ainsi purifié et choisi : Marie, Mère de Jésus ; l'ange lui dit qu'elle enfanterait « un garçon pur ». Dieu le « purifiera » des incrédules, c'est-à-dire qu'il le délivrera de leur emprise, comme on a vu plus haut à propos du Prophète qui « purifie » de l'erreur...

D'après le Coran (IX, 103 et XCII, 18), l'aumône « purifie » les biens de ce monde, c'est-à-dire qu'elle les rend licites. Boukhari ajoute : « Dieu fit de la dîme (*zaka*, aumône légale) une purification de la fortune ». Jésus avait déjà dit : « Donnez en aumône ce que vous avez, et voilà que pour vous, tout sera pur » (Lc. XI, 41).

Le Coran, on l'a vu plus haut, attache une grande importance à la pureté du cœur. Les purifications par l'eau ne sont qu'un symbole ; elles seraient inutiles si l'intention de se purifier intérieurement n'existait pas chez le croyant.

Abraham aidé par son fils Ismaël « élevait les assises de la Maison » : *bayt Allah* : Maison de Dieu ; « station d'Abraham » : la *ka'aba* ; lieu de prière ; « lieu où l'on revient souvent ». (Tout musulman et toute musulmane doit s'y rendre en pèlerinage une fois dans sa vie). Allah dit aux bâtisseurs :

« Purifiez ma maison
pour ceux qui accomplissent les circuits ;
pour ceux qui s'y retirent pieusement ;
pour ceux qui s'inclinent et se prosternent »...

(Cor. II, 125)

Le territoire de la Mekke est ainsi devenu un lieu sacré. Seuls les Musulmans, en état de pureté légale peuvent y pénétrer. De plus le pèlerin doit se couvrir d'une pièce d'étoffe blanche pour effectuer les rites du pèlerinage.

Lorsque Jacob se préparait à monter à Béthel (Maison de Dieu), il ordonna à sa famille de se purifier et de changer de vêtements (Gen. XXXV, 2), comme le firent plus tard les Israélites lorsqu'ils s'approchèrent du Sinaï. Le Coran recommande, en général aux croyants de purifier leurs vêtements et de fuir l'abomination.

Le sol de toute mosquée (litt. : « lieu où l'on se prosterne ») doit être pur, c'est-à-dire maintenu à l'abri de toute souillure que pourraient y apporter des pieds non lavés ou des chaussures salies par la poussière du dehors. Cette même règle est de rigueur pour le musulman qui prie en particulier : il doit se prosterner sur un sol lavé, ou recouvert d'un tapis de prière ou de tout ce qui peut en tenir lieu (peau de mouton, étoffe etc.). S'il se trouve à la campagne il pourra se contenter de balayer soigneusement le terrain qui lui servira de lieu de prière : un objet placé devant lui en marquera la limite.

La purification personnelle par l'eau : une eau pure ou eau courante, tire sa valeur rituelle de l'intention de celui qui la pratique, comme on l'a déjà dit.

Le Coran, s'adressant aux croyants après la victoire qu'ils ont remportée à Badr leur dit :

> « Lorsque Dieu vous enveloppa de sommeil
> comme d'une sécurité venue de lui ;
> du ciel, il fit descendre sur vous
> de l'eau pour vous purifier,
> pour écarter de vous la souillure du Démon,
> pour fortifier vos cœurs
> et pour affirmer vos pas. »
>
> (Cor. VIII, 11)

77

Voici donc la pluie qui descend pour purifier, rafraî-
chir et renouveler les forces des combattants.

Le Coran loue les croyants qui aiment se purifier ;
« Dieu aime ceux qui se purifient » (II, 222). Il loue les
femmes et les hommes chastes (XXIV, 30-31 ;
XXXIII, 35). Il déclare : « Heureux celui qui se purifie ; celui qui invoque le Nom de son Seigneur et celui
qui prie » (LXXXVII, 14-15).

Certaines mesures relèvent de la bienséance et de la
pureté morale. Voici des recommandations adressées
aux croyants et aux croyantes :

> « Quand vous demandez quelqu'objet
> aux épouses du Prophète,
> faites-le derrière un voile (une tenture) :
> cela est plus pur pour vos cœurs
> et pour leurs cœurs »...
>
> (Cor. XXXIII, 53)

Les épouses, les filles du Prophète et les femmes des
croyants doivent se couvrir de leurs voiles afin « de se
faire connaître » et ne pas risquer d'être offensées
(Cor. XXXIII, 59) quand elles sortent de leurs habita-
tions. À l'intérieur, elles peuvent paraître dévoilées
devant leurs époux, leurs parents, leurs neveux, leurs
esclaves, leurs serviteurs eunuques, les garçons impu-
bères. En règle générale : elles doivent « baisser leurs
regards », être chastes, ne montrer que l'extérieur de
leurs atours, rabattre leurs voiles sur leur poitrine. Il
est conseillé aux vieilles femmes qui ne peuvent plus, ni
se marier, ni enfanter de s'abstenir de montrer leurs
atours ; mais elles sont dispensées de cacher leur
visage.

Voici, d'après le Coran, les circonstances, déjà mentionnées dans la Tora, qui entraînent l'état d'impureté : la cohabitation, pour l'homme comme pour la
femme. Celle-ci demeure impure durant ses menstrues,
et pendant les quarante jours qui suivent son accou-

chement, ce qui la rend interdite à son mari. (On se souvient de la démarche de la Vierge se rendant au Temple, quarante jours après la naissance de Jésus et de la cérémonie des « relevailles » célébrée à l'église, encore au siècle dernier, dans les campagnes.)

Les impuretés majeures, d'après le Lévitique et d'après le Coran ne sont effacées que par un lavage complet du corps.

Les ablutions mineures sont en partie décrites dans les Sourates IV (Vt 43) et V (Vt 6) : celles qui sont nécessaires à la suite de la satisfaction des besoins naturels ; à la suite de contacts avec les objets souillés ou avec une femme etc. Ces ablutions consistent à se laver le visage, la tête, les mains, les bras jusqu'aux coudes, les pieds. Le Coran ne parle pas des ablutions intimes strictement pratiquées dans tout le monde musulman, en utilisant pour ce faire la seule main gauche. (Celle-ci, réputée impure ne touchera pas aux mets durant les repas.)

On sait que le croyant trouvera à proximité des mosquées un hammam où il pourra procéder à une ablution majeure et, dans la cour de la mosquée, des fontaines ou des robinets, et un bassin où il fera ses dernières ablutions mineures.

Enfin, et dans la perspective de l'Au-delà le Coran parle de ceux, qui, à leur mort et en attendant le Jour de la Résurrection, « ceux qui iront à Dieu avec un cœur pur » (Cor. XXVI, 89). Il est dit encore aux croyants et à ceux qui auront accompli des œuvres bonnes durant leur vie qu'ils seront admis dans « les Jardins d'Eden où coulent les ruisseaux. Ils y demeureront immortels » (Cf. Cor. XX, 75-76).

On avait déjà lu dans le psautier :

> Qui montera sur la montagne de Yahvé
> et qui se tiendra dans son lieu saint ?
> L'homme aux mains innocentes, au cœur pur...
> (Ps. XXIV, 3-4)

Jésus dira bien plus tard : « Heureux les cœurs purs car ils verront Dieu » (Mt. V, 8). Le latin *beati* est souvent traduit par : « bienheureux », et le grec par : « magnifiques ».

4. LE BAPTÊME : ENSEVELISSEMENT ET VIE NOUVELLE

Les pages précédentes étaient, en grande partie, destinées à préciser la signification des cérémonies qui accompagnent le Baptême chrétien, le Sacrement de la foi. Ces rites remontent à la plus haute antiquité. Le Christ leur a conféré une toute autre valeur, lorsqu'il a dit à ses disciples, après sa résurrection et avant de les quitter : « Allez... de toutes les nations, faites des disciples, les baptisant au nom du Père, du Fils et du Saint-Esprit » (Mt. XXVIII, 18-19).

Ce Sacrement, d'institution divine est une consécration qui marque l'entrée du baptisé dans l'Église. L'historien des religions pourrait l'assimiler à une « initiation », un rite de passage, alors que le Baptême chrétien, et cela est essentiel, confère à celui qui le reçoit une vie nouvelle, en le faisant participer à la vie même du Christ. Saint Paul y voit une « création nouvelle » (Cf. II Cor. V, 17 et plus loin p. 87), alors que le mot est dérivé d'un verbe grec qui signifie : « teindre, plonger, laver ».

Selon la tradition musulmane, tout être humain naît musulman. Il suffit, en fait, pour celui que la société a détourné de la seule vraie Religion, destinée à devenir universelle, de prononcer la *shahada* en état de pureté légale, devant deux témoins musulmans, pour appartenir à la Communauté musulmane, la *Oumma*. Cette profession de foi consiste à dire (en arabe) : « Il n'y a de divinité qu'Allah et Muhammad est le Prophète d'Allah. »

D'après la Genèse, la circoncision fut imposée à Abraham et à ses descendants, comme un sceau imprimé dans leur chair, en signe de l'alliance éternelle accordée par Dieu à son peuple. Elle fut dès lors pratiquée sur le nouveau-né, le huitième jour après sa naissance. (Les Musulmans ont adopté cette tradition : les enfants sont circoncis à l'âge de 2 à 7 ans. Le Coran ne mentionne pas la circoncision, mais il blâme assez souvent « les cœurs incirconcis.)

Le Christ lui-même s'est soumis à cette loi juive, mais pour en libérer définitivement les Chrétiens ; Paul s'adressant à ceux de Colosse (II, 11) leur dira plus tard : « C'est dans le Christ que vous avez été circoncis, d'une circoncision qui n'est pas de main d'homme... telle est la circoncision du Christ », c'est-à-dire le Baptême dont le caractère est indélébile.

Il semble cependant permis de se demander la raison pour laquelle la nouvelle liturgie latine, tout en maintenant la fête du huitième jour après Noël ne lui a pas conservé son nom traditionnel de la « Circoncision du Seigneur » : ce 1er janvier à l'issu duquel on commémorait aussi l'imposition du Nom de Jésus au nouveau-né, comme le rappelle du reste la lecture de l'évangile choisie pour ce jour-là : « Quand vint le huitième jour où l'on devait circoncire l'enfant, on lui donna le nom de Jésus : nom indiqué par l'ange avant sa conception » (Lc. II, 21).

Ceci dit, à propos de la Circoncision, considérée comme le signe d'une appartenance à une communauté de croyants, un rite d'initiation, revenons au Baptême, sujet de ce présent chapitre.

Il ne nous appartient pas de traiter ici les questions sur le plan de l'histoire des religions en général. Nous nous contenterons de citer quelques coutumes anciennes dans le but de démontrer combien l'institution même du Baptême chrétien répond à des tendances foncières, inscrites dans la nature humaine. Le Christ n'a pas institué des rites : il a choisi des éléments connus, déjà chargés de symbolismes : l'eau, le vin, le pain, l'huile, en leur attribuant des significations nouvelles, d'ordre purement spirituel.

Dans la religion de Mithra, le « baptême », l'immersion, était censé effacer les fautes commises : la pureté recherchée était donc déjà, d'ordre moral.

L'immersion, à caractère de purification existait sans doute en Chaldée ; elle était imposée par la loi juive au prosélyte, avant la circoncision ; elle fait partie, avec l'aveu et le regret de ses fautes, des rites d'initiation, destinés à placer le nouveau converti « sous les ailes de la *Chekina* » c'est-à-dire sous la protection glorieuse de Yahvé. Il naît ainsi, toujours d'après la tradition, à une vie nouvelle : il a retrouvé la pureté du nouveau-né. Philon (*De Poenitentia* I), ajoute : « Il sort des ténèbres vers la lumière. » (Cette image, habituelle chez les Pères de l'Église s'applique au baptême, comme nous le verrons plus loin.)

Le Talmud (*Yoma* VIII, 9), rappelant un ancien texte dit : « Béni es-tu, ô Israël ! Autrefois ne devais-tu pas te purifier toi-même ? Qui te purifie ? Ton Père dans les cieux. » D'après la Tradition juive, non seulement les purifications effacent les souillures corporelles, contractées, volontairement ou non, mais encore, elles rapprochent le croyant de Dieu au point de le faire accéder à une certaine union avec la Divinité.

Les Esséniens se purifiaient plusieurs fois par jour, en se baignant dans les piscines dont on a retrouvé les traces. Déjà ils enseignaient que l'Esprit (celui qui était porté sur les eaux lors de la Création du monde) purifie les hommes du péché et que, ce même Esprit de Vérité, se communique aux fidèles par l'aspersion de l'eau. Ils imposaient le baptême aux Juifs venus se joindre à eux ; ils le renouvelaient à l'intérieur de la secte, pour ses seuls adeptes, alors que le baptême de Jean préfigurait celui que le Christ instituera plus tard et s'adressait déjà au monde entier [25].

Jésus, avant d'inaugurer sa vie publique, voulut se plier à la loi commune en recevant le baptême des mains de Jean Baptiste. Il affirmait ainsi qu'il était véritablement homme, Verbe incarné, alors qu'une intervention divine le proclamait « Fils de Dieu ». En effet, lors de son baptême dans le Jourdain, l'Esprit Saint descendit « sous forme corporelle ; comme une colombe » (Lc. III, 22) et une voix du ciel se fit entendre : « Celui-ci est mon fils bien-aimé en qui je me complais » (Mt. III, 17), rappelant cette génération éternelle déjà pressentie par le Psalmiste : « Tu es mon fils, moi, aujourd'hui (le jour de l'éternité) je t'ai engendré » (Ps. II, 7). Les quatre Évangiles et le Livre des Actes indiquent qu'il s'agit ici d'un baptême par l'eau et l'Esprit. De plus, Matthieu (III, 11) et Luc (III, 16) établissent un rapprochement entre l'Esprit et le feu ; le second étant le symbole du premier. Justin [26] dès le IIe siècle, dit qu'au moment où Jésus descendit dans le Jourdain pour y être baptisé, un feu s'alluma dans le fleuve. Des textes syriaques, jacobites, éthiopiens, associent, eux aussi l'eau et le feu à propos du baptême de Jésus. Voici un témoignage recueilli par Denzinger dans son ouvrage sur les rites orientaux : *Rituel du Baptême et de la Confirmation chez les Jacobites* : « Notre Sauveur dit à Jean : "Pose ta main droite sur ma tête et baptise-moi". Jean fut effrayé en voyant une flamme brûler au-dessus du fleuve. Il retira sa main tremblante et il dit : "Moi, Seigneur, j'ai besoin d'être baptisé par toi". Jésus lui dit : "Baptise-

---

25. Cf. Howlet : *Les Esséniens et le Christianisme*, 1958, p. 172.
26. *Dialogue avec Tryphon*, 88.

moi... et accomplis toute justice. Viens, pose ta main sur moi et je serai baptisé''. Ainsi, avec la voix du Père venue d'en haut, l'Esprit descendit du ciel. Alléluïa !... Il demeura au-dessus du Christ... Jean dit au Christ : "Seigneur, j'ai peur de t'approcher ; je suis de la paille ; je n'ose toucher la flamme de mes mains. Si je m'en approche, je serai brûlé"... Alors les eaux s'arrêtèrent et se turent. »

La doctrine relative au baptême, telle qu'elle est enseignée par l'Église, repose en fait sur le texte selon lequel saint Paul établit une comparaison entre Adam et le Christ. Il dit : « Comme la faute d'un seul a entraîné sur tous les hommes une condamnation, de même, l'œuvre de justice d'un seul procure à tous une justification qui donne la vie. Comme, en effet, par la désobéissance d'un seul homme, la multitude a été constituée pécheresse, ainsi par l'obéissance d'un seul, la multitude sera-t-elle constituée juste » (Rom. V, 18-19).

Dieu a créé le premier homme « à son image », et, par conséquent doué des qualités et des capacités propres à la nature humaine. Il l'a créé libre, donc capable de choisir entre le bien et le mal, responsable de ses actes. Dieu connaît dans son omniscience le présent, le passé et le futur mais il ne prédétermine pas l'homme à agir de telle ou telle façon qui entraînerait récompense ou châtiment. Adam a péché en désobéissant à son Créateur. Ce péché qualifié de péché originel ou péché d'origine par les théologiens, est, en quelque sorte, « une inclination désordonnée produite par la destruction de cette harmonie consécutive à la justice originelle » (S. Th. Iª, IIæ, LXXXII, 1, c.). Le péché (volontaire) du premier homme est qualifié par Thomas d'Aquin : « péché de nature », car il atteint la nature humaine tout entière, privée dès lors de la justice originelle en laquelle Adam fut créé. La punition de ce premier péché est la mort, puis, la privation de la vision béatifique. D'où la nécessité pour l'humanité de la venue du Rédempteur, d'un Sauveur ; ce qui fait dire à saint Paul, en parlant des hommes : « De même que tous meurent en Adam, tous aussi revivront dans le Christ » (I Cor. XV, 22).

Les conséquences de ce péché originel sont effacées par le Baptême qui introduit le baptisé dans l'Église en le faisant participer à la vie même du Christ. Il reçoit ainsi des grâces certaines, mais il n'est pas libéré de son inclination naturelle à commettre des fautes à l'égard de Dieu, de lui-même et de son prochain. Il péchera, mais il aura recours aux sacrements pour que Dieu rétablisse en lui la vie de la grâce acquise par les mérites du Christ Rédempteur ; il reviendra repentant vers Dieu qui, à chaque fois lui pardonnera sa faute. (L'Islam connaît ce mouvement continu de l'homme qui « revient » vers Dieu et de Dieu qui « revient » vers l'homme.)

Plusieurs rites accompagnent le Baptême proprement dit ; ils évoquent, par leurs symbolismes les réalités spirituelles actualisées par ce Sacrement.

Le célébrant commence par demander aux parents ou à ceux qui présentent l'enfant : « Quel nom voulez-vous "imposer" à votre enfant ? » Ceci rappelle la cérémonie de la circoncision de Jean, fils de Zacharie, et celle de Jésus, telles que les rapporte l'évangile de Luc. Puis le célébrant prononce plusieurs invocations : il bénit l'eau. Celle-ci rappelle les symboles étudiés dans le chapitre précédent : l'eau : symbole de purification, de vie, de mort, de renaissance et d'illumination. (On reviendra plus loin sur les traits caractéristiques des rites qui accompagnent le Baptême chez les catholiques de rite latin.)

Un acte de foi précède les cérémonies proprement dites du Baptême. Si l'enfant ne parle pas encore, son parrain et sa marraine le prononcent en son nom. Dans les temps anciens, le catéchumène, tourné vers l'Occident, supposé être le siège de l'empire des ténèbres, prononçait une triple renonciation à Satan, c'est-à-dire au péché, au mal sous toutes ses formes ; ensuite, tourné vers l'Orient, d'où vient la lumière, image du Christ, il prononçait un acte de foi en chacune des trois Personnes de la Trinité. Ces formules subsistent : renonciation au mal ; foi en un seul Dieu dans l'Unité de ses trois Personnes, mais il n'est plus question d'Orient ni d'Occident !

Saint Ambroise du reste (*De Sacramentis,* I, III, 10) distinguait nettement le rite extérieur de la réalité spirituelle lorsque, s'adressant au futur baptisé il lui disait : « Tu es entré (dans le baptistère) ; tu as vu l'eau, tu as vu le prêtre, tu as vu les diacres. Que personne ne dise : "Tout est là" (litt. : voilà le tout). Le tout existe vraiment : le tout est en vérité là où se trouvent une parfaite innocence, une piété totale, une grâce totale, une sanctification totale. Tu as vu ce que tu peux voir avec les yeux du corps, selon les regards humains : tu n'as pas vu ce qui se fait (*operor*) réellement parce qu'on ne le voit pas. Les réalités que l'on ne voit pas sont beaucoup plus importantes que celles que l'on voit. Celles-ci sont temporelles, mais celles que l'on ne voit pas appartiennent à l'éternité.» Le Pseudo Denys (cf. *Hiérarchie céleste* III, 2) affirme, lui aussi, à propos du Baptême, que les rites chrétiens ne sont que des expressions sensibles ; des images visibles de réalités invisibles.

Le Baptême, utilisant l'eau comme un élément essentiel, pourrait être assimilé à une simple purification. Cependant le sujet juif, essénien, musulman, procède lui-même aux ablutions rituelles, à sa propre purification. L'état de pureté rituelle qu'il acquiert ainsi, est transitoire. La purification corporelle doit être renouvelée avant chaque acte cultuel. Le Baptême, au contraire imprime dans celui qui le reçoit un caractère indélébile (comme celui qui est attaché au sacerdoce). Il ne peut être réitéré. Les Pères de l'Église le comparent parfois à un sceau (*sphragis* : le maître de l'antiquité marquait dans leur chair les personnes et les animaux qui lui appartenaient). Paul emploie cette même expression quand il dit aux Chrétiens : « Vous avez été marqués d'un sceau par l'Esprit de la Promesse... L'Esprit Saint » (Eph. I, 13-14). Ce sceau, d'après l'Apocalypse subsistera dans la vie future.

La puissance divine confère à l'eau, suivant le rite institué par l'Église, un pouvoir mystérieux. On a déjà dit (p. 11) que l'eau principe de toute vie animale et végétale, dès le début du monde, possède la propriété de laver, et donc de purifier ce qui était souillé.

Lors de la bénédiction des fonts baptismaux, durant la nuit pascale, le célébrant chante une longue prière dont nous donnons ici les points essentiels : « O Dieu, dont l'Esprit était porté sur les eaux dès le commencement du monde, fais que cette eau ait maintenant un pouvoir de sanctification... Préparée pour la régénération des hommes elle sera une source de vie, une eau qui régénère et purifie... Fais-la devenir productrice de vie et de renouvellement... Que tout homme admis au sacrement de la régénération, renaisse véritablement avec l'innocence d'une enfance retrouvée »... Ce texte ne fait que reprendre des données scripturaires en les appliquant plus particulièrement au Baptême. Paul (Tite, III, 5) associe « le bain de la régénération » (le Baptême) à la « rénovation dans l'Esprit Saint ». Ailleurs (II Cor. V, 17) le même apôtre considère le chrétien comme « un être nouveau » fruit d'une « création nouvelle ».

La parole jointe à l'eau constitue le sacrement du Baptême. C'est ainsi que saint Augustin commente saint Paul (Eph. V, 26) : « Le Christ a aimé l'Église (c'est-à-dire la communauté des Chrétiens), il s'est livré pour elle, afin de la sanctifier en la purifiant par le bain d'eau qu'une parole accompagne. » Jean

Chrysostome, après avoir mentionné le bain juif écrit :
« L'ablution des chrétiens (le baptême) atteint (pour la
guérir) jusqu'à l'intimité des consciences [27]. » Paul,
s'adressant aux Corinthiens avait déjà affirmé :
« Tous, vous êtes lavés... vous avez été sanctifiés, vous
avez été justifiés par le Nom du Seigneur Jésus
Christ » (I Cor. VI, 11). Enfin saint Augustin, commentant ces paroles du Christ : « Vous êtes purs à
cause de la parole qui vous a été dite » (Jn. XV, 3)
enchaîne sur la question du Baptême : l'eau seule ne
peut purifier sans la parole ; « la parole se joint à cet
élément (l'eau) et, aussitôt il y a sacrement ». L'eau en
touchant le corps, purifie le cœur si on prononce la
parole avec foi. En cette parole, on distingue le son qui
passe et la vertu qui demeure.

On a parlé plus haut (p. 79) des fontaines et des bassins aménagés auprès des mosquées. Ceux-ci permettent aux croyants de procéder à leurs dernières ablutions avant de pénétrer dans le lieu consacré au culte.
De nombreux sanctuaires chrétiens, anciens, possèdent
des puits. Un « bénitier » contenant de l'eau, existe
encore à l'entrée des églises : seul souvenir des purifications de jadis...

La tradition apostolique demande que l'eau utilisée
pour le Baptême soit courante et pure, autrement dit :
une eau vive et non stagnante. Un fleuve, comme le
Jourdain d'où Naaman sortit guéri de sa lèpre (on
pense au Gange purificateur), la mer aussi, d'après le
Pseudo Clément, peuvent remplacer le baptistère proprement dit. Saint Augustin, pour démontrer que
toute eau peut devenir matière du sacrement, dit :
« Cette bénédiction qui a jailli du Baptême du Sauveur, s'est répandue comme un fleuve spirituel et a
rempli le lit de tous les fleuves et les profondeurs de

---

27. *Ad illuminandos Catechesis*, I, P.G. XLIX, 226.

toutes les sources [28]. » A défaut d'une source ou d'une fontaine alimentant la vasque servant au Baptême par ablution, on mettra de l'eau dans un récipient quelconque pour en verser sur le front de ceux qui doivent être baptisés. Cette eau, suivant la tradition, reçoit une bénédiction spéciale comme on l'a dit plus haut. Conformément à la Constitution liturgique de Vatican II, (art. 67-69), l'église paroissiale, suivant une coutume remontant aux premiers siècles de l'ère chrétienne, doit comporter, faute de baptistère proprement dit, des fonts baptismaux dans un local dépendant de l'église, placé près de l'entrée dont il est parfois séparé par une grille [29].

Un autre élément utilisé dans la liturgie (Baptême, confirmation, sacrement de l'ordre, sacrement des malades) est l'huile : celle-ci marque une consécration. Nous la mentionnons ici, bien que son emploi soit devenu facultatif au cours des cérémonies baptismales. L'onction d'huile fut longtemps obligatoire ; elle se pratiquait, dans les églises d'Orient, sur les mains, le cœur, sur tous les membres du futur baptisé. L'usage de l'huile, comme signe de consécration, remonte aux âges les plus reculés. L'huile parfumée, le saint chrême est consacré le Jeudi saint par l'évêque lors d'une célébration particulière. Ce chrême est l'élément primordial du sacrement de la confirmation et de celui de l'Ordre.

L'olivier, signe de richesse et de fertilité était considéré comme le roi des arbres. Il est compté, avec le blé et les autres produits de la terre, parmi les dons les plus précieux de la miséricorde divine.

On lit dans la Genèse qu'à deux reprises, à l'endroit où l'échelle lui apparut en songe et à Bethel, Jacob versa de l'huile sur la pierre qui lui servit ensuite

---

28. *Sermon pour l'Épiphanie,* 135, cité S. Th. IIIa, 66, 2c.
29. Cet emplacement sert souvent, depuis le Concile Vatican II, de débarras pour les objets mis au rebut : les chaises cassées, les prie-dieu...

d'autel pour offrir un sacrifice à Yahvé. Plus tard, le Temple lui-même et les ustensiles servant au culte, reçurent les mêmes onctions. Celles-ci sont encore le signe de la consécration, en tant que prêtres du Très-Haut, d'Aaron et de ses fils, puis des prêtres qui officiaient dans le Temple de Jérusalem. Cette même onction, maintenue par l'Église marque le prêtre, lors de sa consécration par l'évêque, d'un caractère indélébile. Les rois d'Israël : Saül, Salomon, David, Jéhu furent marqués de ce même sceau. On versait autrefois sur la tête des hôtes, pour les honorer, un mélange d'huile et de baume comme l'atteste le Psaume XXIII et Jésus lui-même. (Cf. Lc. VII, 46.)

Dans l'Ancienne Loi, avant la construction du Temple, l'huile alimentait jour et nuit les lampes placées devant l'arche qui contenait les Tables de la Loi. Il en fut de même dans le Temple. Cet usage est en principe maintenu dans les églises catholiques, auprès du tabernacle de la Loi nouvelle.

Enfin, déjà aux temps des apôtres, comme l'atteste Jacques, les Chrétiens pratiquaient des onctions d'huile sur les malades, pour les purifier, les guérir ou les préparer à la mort, ce qui amena l'Église à élever cette pratique au niveau d'un sacrement : celui des malades.

L'olivier est un symbole de fécondité. L'huile, utilisée en onctions, fortifie les athlètes, purifie les corps, marque la consécration des personnes. Le symbolisme attaché à chacune de ces propriétés, s'applique tout naturellement au Baptême.

Le Coran place l'olivier au nombre des bienfaits divins que produit la terre. Il évoque une fois cette huile mystérieuse qui « éclaire sans que le feu la touche », comme nous le verrons plus loin en citant le « verset de la lumière » (p. 160).

Le nouveau rituel rend parfaitement claire la signification de chacun des rites qui accompagnent le Baptême et dont l'ensemble présente un résumé du dogme chrétien. L'invocation qui appelle la bénédiction de Dieu sur l'eau résume une partie d'un texte emprunté au Missel de Pie X qui, lui-même, cite le Sacramentaire Gélasien (VIᵉ siècle). Il figure dans la liturgie de la veillée pascale. (Bénédiction des fonts baptismaux.) Il évoque en premier lieu l'Esprit Saint, porté dès l'origine du monde sur les eaux, afin que celles-ci possèdent une vertu de sanctification. (Voir plus haut p. 17). La strophe suivante concerne le déluge. On sait que Noé, le « Juste », fut préservé du châtiment grâce à l'arche, comparée parfois à l'Église ou à la Croix salvatrice. L'apôtre Pierre voit, dans le déluge, la préfiguration du Baptême. (Cf. I Pr. III, 20-21).

Voici la traduction du texte originel :

> En effaçant par les eaux
> les crimes d'un monde coupable,
> Dieu a montré dans le fait même du déluge,
> le pouvoir régénérateur de l'eau,
> afin que, dans ce signe mystérieux
> constitué par un seul et même élément
> se réalisent la destruction des vices
> et la renaissance des vertus [30].

Le texte de la nouvelle liturgie établit un rapprochement entre le Baptême et l'Exode : la mer Rouge sauva le peuple hébreu en se retirant pour le laisser passer ; ensuite, sa marche dans le désert fut guidée d'une façon miraculeuse, ce qui fait dire à saint Paul (I Cor. X, 1-2) : « Tous (les fils d'Israël) ont été baptisés dans la nuée et dans la mer. »

---

30. Les auteurs du Missel paru à la suite du Concile Vatican II ont cru bon de supprimer la mention des « crimes » commis par les hommes, éliminant ainsi la cause du châtiment divin en dépit des textes de la Bible (Ancien et Nouveau Testament), des traditions juives et chrétiennes, du Sacramentaire gélasien, de Gilgamesh, d'Ovide et du Coran ! Quelle serait la signification d'un déluge, voulu par la Divinité, dont serait exclue l'idée du châtiment ?

La Mishna (*Pesahim*, rédigé au Xᵉ siècle) décrit cette sortie d'Israël du pays d'Égypte, comme « un passage de l'esclavage à la liberté, de la détresse à la joie, du deuil à la jubilation, des ténèbres à la lumière, de la mort à la vie, de la tyrannie à une royauté éternelle [31] ». C'est ainsi que l'on peut établir une comparaison entre l'Exode et le Baptême.

La liturgie pascale, comme celle du Baptême, fait ensuite allusion au baptême de Jésus, puis à l'eau qui jaillit mystérieusement de son corps lorsque le « soldat » perça d'un coup de lance son côté (Cf. Jn. XIX, 31-37). Plusieurs Pères de l'Église considèrent cette eau comme un symbole du Baptême. C'est en mourant que le Christ a permis à l'homme d'accéder à une vie nouvelle, prélude de celle qui lui est promise dans le Paradis.

Un simple aperçu des thèmes majeurs concernant le Baptême montre que les textes utilisés au cours de la cérémonie, lient incontestablement l'idée de sépulture et de mort à celle de renaissance ; l'idée de sein maternel à celle de seconde naissance.

Dans l'Inde, dit Mircea Eliade, « une initiation implique la "mort" et la "renaissance" du novice, c'est-à-dire sa naissance à un mode d'être supérieur ». C'est le *regressus ad uterum* symbolique. Dans les mystères de Cybèle, le néophyte est considéré comme *moriturus* : « en train de mourir ». A cette mort mystique succédait une nouvelle naissance [32].

D'après saint Paul et les Pères de l'Église, l'eau du Baptême est à la fois symbole de mort et symbole de vie : « Si nous mourons avec le Christ, nous vivrons avec lui » (II Tim. II, 11). Paul écrit encore aux Romains : « Baptisés dans le Christ Jésus, c'est dans

---

31. Cf. Le Déaut, *La nuit pascale*, 1980, p. 233.
32. Cf. *Histoire des croyances et des idées religieuses,* T. I, p. 233-234 ; T. II, p. 270.

sa mort que tous, nous avons été baptisés. Nous avons donc été ensevelis avec lui par le Baptême dans la mort, afin que, comme le Christ est ressuscité des morts par la gloire du Père, nous vivions, nous aussi dans une vie nouvelle » (Rom. VI, 3-4 ; cf. Col. II, 12). Basile de Césarée (*Liber de Spiritu Sancto*, XV, 35) reprend la même image en disant : « Ceux qui sont baptisés dans leur corps, sont en quelque sorte ensevelis dans les eaux. » Ambroise de Milan compare la cuve baptismale à un sépulcre où meurt le vieil homme avec son péché. La sortie de l'eau (il s'agit du Baptême par immersion complète) est l'image de la Résurrection. Ambroise dit encore : « Nous avons été ensevelis, nous nous relevons, c'est-à-dire nous ressuscitons. » Il ajoute en s'adressant au néophyte : « Il t'a été réservé que les eaux te régénèrent pour la grâce, comme elles ont engendré les autres » (c'est-à-dire les premiers « vivants » au début du monde) à la vie [33]. Cyrille de Jérusalem dit, lui aussi, aux nouveaux baptisés : « En un instant, vous êtes morts et vous êtes nés : cette eau de salut devient pour vous un sépulcre et une mère » (*Catechesis* XX, *Mystagogice* II, 4). Jean Chrysostome dit encore à propos du Baptême : « Dans ce Sacrement sont célébrés des mystères divins : sépulture et mort ; résurrection et vie ; et tout cela s'accomplit en même temps. Dans l'eau, en effet, comme dans un sépulcre, le vieil homme est enseveli et englouti en ceux que nous immergeons, ensuite, lorsque nous les retirons de l'eau, l'homme nouveau surgit » (Homélie XXV, 2, In Jn. III, 5).

Quand on lit l'étude de Gaston Bachelard : *L'eau et les rêves* (cf. p. 123), on s'aperçoit que la psychanalyse rejoint la tradition en notant le rapprochement constant entre l'idée de l'eau et celle d'un ensevelissement.

Le rituel du Baptême compare l'Église à une mère : celle-ci « enfante en un seul enfantement tous les êtres

---

33. Cf. Ambroise, *De Sacramentis*, II, VI, 19 ; VII, 20 : III, 1...

humains sans exception de ce qui les distingue quant au sexe, au corps ou au temps ». Augustin (*Sermo* 119, 4) use d'une formule lapidaire : « Vulva matris, aqua baptismatis » en assimilant l'eau du Baptême à une matrice. Le Pseudo-Denys (*Hiérarchie ecclésiastique*, II, 2-7) considère le baptistère comme « la matrice de toute filiation » ; Paul avait parlé d'une « nouvelle création » (voir p. 87). Ici encore un rapprochement s'impose entre les données de la psychanalyse qui associe, elle aussi, l'image de l'eau à celle du sein maternel. (Cf. Bachelard, *op. cit.,* p. 161).

Les textes empruntés aux Pères de l'Église, cités plus haut, sont à la fois, dans leur ligne générale, conformes aux traditions les plus anciennes, inscrites, pour ainsi dire, au plus profond de la nature humaine, et, en même temps, ils servent de commentaires à « l'entretien de Jésus avec Nicodème » : le Christ lui dit :

> « En vérité, en vérité je te le dis :
> à moins de naître d'en haut,
> nul ne peut voir le Royaume de Dieu. »

> Nicodème lui dit :
> « Comment un homme peut-il naître
> une fois qu'il est vieux ?
> Peut-il une seconde fois
> entrer dans le sein de sa mère et naître ? »

> Jésus répondit :
> « En vérité, en vérité je te le dis :
> à moins de naître d'eau et d'Esprit
> nul ne peut entrer au Royaume de Dieu.
> Ce qui est né de la chair est chair ;
> ce qui est né de l'Esprit est esprit.
> Ne t'étonne pas, si je t'ai dit :
> Il vous faut naître d'en haut »...
>
> (Jn. III, 3-7)

« Comment un homme peut-il naître une fois qu'il est vieux ? » Augustin commentant ce texte dans son traité sur l'Évangile de Jean distingue deux sortes de naissance : une naturelle, celle que connaît Nicodème et qui aboutit finalement à la mort, et une autre, sur-naturelle, qui mène à la vie éternelle. « L'une appar-tient à la terre et l'autre au ciel ; l'une provient de la chair et l'autre de l'Esprit ; l'une aboutit à la mort et l'autre à l'éternité. Elles ont un seul point commun : ni l'une ni l'autre ne peuvent se répéter. » Ni la généra-tion naturelle ni le Baptême ne se reproduisent chez un même sujet.

Saint Paul insiste sur le caractère eschatologique du Baptême. Celui-ci, en effet, renouvelle, pour le baptisé le mystère de la mort et de la résurrection du Christ, présent et agissant dans ce sacrement. « Baptisés dans le Christ Jésus, c'est dans sa mort que nous avons été baptisés... Nous avons été ensevelis avec lui par le Bap-tême dans la mort afin que, comme le Christ est ressus-cité des morts par la gloire du Père, nous vivions, nous aussi dans une vie nouvelle » ; afin que, ayant subi symboliquement dans les eaux du Baptême « une mort semblable à la sienne », nous participions à sa résur-rection. Et voici sa conclusion : « Regardez-vous comme morts au péché et vivants pour Dieu dans le Christ Jésus » (Cf. *Rom.* VI, 1-11 et plus haut p. 92-93).

Les différents rites qui accompagnent le Baptême rappellent ces vérités essentielles : ainsi, autrefois, les catéchumènes étaient dévêtus avant leur descente dans l'eau de la cuve baptismale. (On lit dans l'Épître aux Colossiens (III, 9) : « Vous vous êtes dépouillés du vieil homme avec ses agissements » ; à leur sortie, après leur Baptême proprement dit, on les revêtait d'une robe blanche. Saint Paul leur dit dans ce même texte : « Vous avez revêtu l'homme nouveau... Cha-cun d'entre vous est devenu conforme à l'image de son Créateur ». L'Épître aux Éphésiens (IV, 22-24), parle de « renouvellement » et de « transformation spiri-tuelle ». Cette remise du vêtement blanc rappelle la parole du Prophète Isaïe (LXI, 10) : « Yahvé m'a revêtu du salut et il m'a drapé dans un manteau de justice. » Saint Paul dit encore : « Vous tous, baptisés dans le Christ, vous avez revêtu le Christ » (Gal. III, 27).

Une hymne attribuée à Ephrem le Syrien, dit que les nouveaux baptisés, à leur sortie de l'eau sont sanctifiés et qu'ils ont revêtu « un habit de gloire ». La couleur blanche de ce vêtement fait penser au Christ apparaissant aux Apôtres lors de sa transfiguration, aux anges qui se tenaient dans le tombeau du Christ après sa résurrection, aux élus admis au Paradis, tels que les décrit saint Jean dans son Apocalypse (VII, 9).

Dès lors, les nouveaux baptisés, devenus membres de l'Église sont admis à prononcer la prière enseignée par le Christ : « Notre Père qui es dans les cieux »... le rituel du Baptême rappelle cette ancienne « initiation » nommée « tradition du Pater » : il fait réciter à l'assemblée la prière du Seigneur en conclusion de cette célébration. Saint Paul dit : «Vous avez reçu un esprit de fils adoptifs qui nous fait tous nous écrier : ''Abba, Père'' » (Rom. VIII, 15). L'oraison de la messe « In Baptismo Domini » précise que ces fils adoptifs sont nés de l'eau et de l'Esprit.

Enfin le célébrant remet un cierge allumé au nouveau baptisé, en lui disant : « Reçois la lumière du Christ ! » Les Pères de l'Église considèrent le Baptême comme une « illumination » ; les baptisés sont couramment appelés les « illuminati » : les illuminés. Justin (*Apologie*, I, 65) dit que le baptisé est illuminé par la grâce qui est lumière. Le Pseudo-Denys désigne le baptême comme « le saint sacrement qui produit en nous la naissance de Dieu... Le premier introducteur de la lumière et le principe de toute illumination divine. (On le désigne) sous le nom d' ''Illumination'' [34] ». En effet, Dieu a appelé ces nouveaux Chré-

---

34. *Hiérarchie ecclésiastique*, III, I, trad. Maurice de Gandillac, 1943, p. 263 ; cf. p. 251.

tiens, « des ténèbres à son admirable lumière » selon l'Apôtre Pierre. Celui-ci considère l'ensemble des croyants comme « une race élue, un sacerdoce royal, une nation sainte... » (I Pr. II, 9 ; Cf. Ex. XIX, 6). Paul leur répète : « Jadis vous étiez ténèbres, mais à présent vous êtes lumière dans le Seigneur ; conduisez-vous en enfants de lumière »... (Ephès. V, 8), appelés, peut-on ajouter, à devenir vous-mêmes des lumières capables de guider les autres hommes car, l'évangéliste Matthieu leur dit : « Vous êtes la lumière du monde » (Mt. V, 14).

Le Coran, lui aussi, considère la conversion à l'Islam comme un passage des ténèbres de l'incroyance, ou de « l'ignorance », à la lumière. Tout musulman a donc le devoir de faire participer les autres hommes à la « claire lumière » qu'il a lui-même reçue.

Les cérémonies proprement dites qui accompagnaient le Baptême étant terminées dans le Baptistère ou autour des fonts baptismaux, le nouveau baptisé faisait son entrée solennelle dans le lieu saint pour bien marquer son introduction dans la Communauté chrétienne, son incorporation à l'Église invisible dont il est devenu membre. On le conduisait devant l'autel pour indiquer qu'il avait le droit, désormais, de participer aux saints mystères. Dès lors que le baptême a lieu dans l'église même et les fonts baptismaux étant remplacés par un récipient quelconque, le symbolisme de ce passage de l'état de non chrétien à celui de chrétien a disparu. Le clergé oublie parfois que les symboles ayant recours à des matières et à des gestes très simples constituent un enseignement vivant, accessible à tous. (On parle beaucoup de « pastorale », c'est-à-dire d'enseignement, mais on en bannit les formes les plus expressives.)

Dès le début de la célébration, le ministre du Baptême avait appelé par son nom le futur baptisé. Après la cérémonie, l'acte de Baptême est inscrit sur un registre contresigné par les témoins. Cet usage est fort ancien : Basile de Césarée (IVᵉ siècle) au cours d'une homélie sur le Baptême dit au nouveau baptisé : « Donne ton nom à l'Église, elle l'inscrira afin que tu sois inscrit en tant que citoyen de la cité... Sois inscrit dans ce livre afin que ton nom soit inscrit dans les cieux... afin que tu deviennes citoyen du ciel. » Ceci fait penser au nom nouveau dont il est parlé dans l'Apocalypse. On peut remarquer que le geste banal consistant à écrire un nom sur un registre paroissial, comme on le fait à la mairie, revêt une signification hautement spirituelle.

Avant de clore ce chapitre, nous répéterons que le Baptême chrétien est une institution d'origine divine : il est, dans celui qui le reçoit, une création nouvelle, alors que les rites adoptés par l'Église pour le conférer, sont empruntés à des traditions quasi universelles, ancrées dès les temps les plus anciens au plus profond de la nature humaine.

Le baptisé reçoit en lui une vie nouvelle entée sur la Personne du Christ ; une vie qui recevra sa plénitude dans l'éternité s'il demeure fermement attaché à la foi de son baptême.

Chapitre II

Le feu

Il peut paraître arbitraire de placer le chapitre concernant le « feu » avant celui consacré à la « lumière ».

L'apparition du feu, dans l'Univers, sous la forme d'explosions gigantesques pourrait être concomitante avec celle de la lumière.

D'autre part, le premier chapitre de la Genèse place la création de la lumière au commencement du monde. Mais la liturgie de la veillée pascale débute tout naturellement par le geste du célébrant qui fait jaillir le feu d'où procède la lumière. Celle-ci sera ensuite communiquée au cierge pascal, figure du Christ : lumière du monde.

Les hommes doivent être purifiés par l'eau (le Baptême) et par le feu (l'Esprit Saint), avant d'accéder à cette lumière qualifiée d'illumination. C'est pourquoi nous avons choisi de traiter la question du feu avant celle de la lumière.

Voici comment R.L. Bruckberger décrit un événement capital dans l'histoire des hominiens : le premier d'entre eux qui réussit à allumer un feu ; aucun animal n'a jamais été capable d'en faire autant. L'auteur dit :

« Le premier homme qui a frotté deux silex l'un contre l'autre pour faire du feu, qui ensuite a su capter et conserver le feu, le premier homme qui a construit un foyer avec quelques pierres pour abriter la flamme du vent et garder le feu sous la cendre, cet homme... accumulait le feu pour le reproduire à volonté, en utiliser les effets pour la lumière, la cuisson ou la chaleur... *Il avait créé un foyer.* L'homme (a) gardé cette expression primitive pour signifier l'acte fondamental de la société et parmi les plus décisifs de toute civilisation... Une fois qu'un foyer existe, le feu peut se donner sans se dévaloriser, sans se déprécier, sans se diminuer. Le feu est la chose au monde la moins quantifiable, c'est sans doute pourquoi il est le symbole de l'Esprit... Toutes les acquisitions de l'esprit ont cette caractéristique de pouvoir être données, sans que celui qui donne s'appauvrisse pour autant de ce qu'il a donné [35]. »

La production du feu par l'homme primitif marque donc une étape importante dans l'évolution de l'humanité. Cet homme surpris et effrayé par ce phénomène qui lui rappelait les orages et les volcans, se mit à rendre un culte à cette puissance dangereuse. Plus tard, on la nomma *agni* en sanscrit et *âta* dans l'Avesta. En Iran, le culte du feu l'emportait sur toute autre pratique. Zoroastre le vénérait en le redoutant. Les Grecs lui consacraient une fête. Enfin il joue un rôle important dans les rites funèbres de certains peuples primitifs et en Inde.

Les questions relatives au feu et à la lumière sont imbriquées les unes dans les autres : il semble, dès lors difficile, d'établir un plan précis pour ce chapitre et le suivant.

---

35. Bruckberger, *Le capitalisme : mais c'est la vie,* 1983, p. 116-117.

Retour à la veillée pascale

Avant de rappeler les textes bibliques et coraniques évoquant le feu, dans sa réalité matérielle et ses symboles, on reviendra sur un aspect des cérémonies qui se déroulent durant la veillée pascale. Celle-ci, source inépuisable d'enseignements, débute précisément par un geste du célébrant qui rappelle celui de l'homme primitif, au moment où il découvrit la façon de produire du feu par ses propres moyens.

Après la commémoration de la mort du Christ, le vendredi saint, toutes les lumières de l'église ont été éteintes en signe de deuil. Avant la veillée pascale, un fagot de branches sèches a été préparé, de préférence, en dehors de l'église. Au début de la cérémonie, le célébrant commence par invoquer « le Seigneur Tout-Puissant... Lumière indéfectible... Créateur de toute lumière [36] ». Il fait ensuite jaillir le feu nouveau à l'aide d'une pierre de silex, rappelant le « *fiat lux* » : « Que la lumière soit » de la Genèse et le geste de l'homme primitif dont on vient de parler. La flamme s'élève, elle sera aussitôt communiquée au cierge pascal, symbole du Christ, d'autant plus évocateur, qu'en souvenir de ses plaies, cinq grains d'encens sont incrustés dans la cire de ce même cierge. La nouvelle liturgie fait alors dire au célébrant : « Que la lumière du Christ, glorieusement ressuscité, dissipe les ténèbres du cœur et de l'esprit ! »

Le diacre portant le cierge pascal entre dans l'église, précédant le clergé et les fidèles : chacun d'entre eux tenant un cierge allumé au feu nouveau. À trois reprises l'officiant élève le cierge en proclamant : « Lumière du Christ » et tous répondent : « Rendons grâces à Dieu. » Cette procession rappelle la marche des Hébreux, guidés par la nuée lumineuse à travers le désert.

---

36. Cf. Missel romain de Pie X, réformé par Benoît XV.

Lorsque les célébrants ont pris place dans le chœur, de nouveau brillamment éclairé, le diacre entonne l'*Exultet* : ce magnifique récitatif mentionne la sortie, l'Exode d'Israël quittant l'Égypte, la terre de servitude, le passage de la mer Rouge, la nuée qui dirigeait le peuple hébreu dans le Désert, comme on vient de le dire, et, enfin la Résurrection du Christ qui a détruit les chaînes de la mort définitive.

La lampe où l'huile se consume devant le tabernacle de la nouvelle Alliance, dans les églises catholiques de rite latin, est, elle aussi rallumée au cierge pascal : elle communiquera sa flamme aux cierges et à l'encens, tout au long de l'année [37]. (On y allume également le cierge remis au nouveau baptisé, comme on l'a vu plus haut.) La lumière est, de soi, intarissable : elle se communique sans jamais s'épuiser.

Cette lampe rappelle les dispositions de l'Ancienne Loi. On lit, dans le livre des Lévitiques (VI, 5-6) : « Le feu qui, sur l'autel consume l'holocauste ne s'éteindra pas.» (Ceci fait penser au feu perpétuel entretenu sur les autels de Mithra ; à celui confié à la vigilance des Vestales à Rome et à ceux des Indes.) Le IIe Livre des Maccabées (I, 18-36) rapporte que les Hébreux retrouvèrent au fond d'un puits, après plusieurs siècles, ce « feu » conservé miraculeusement sous la forme d'un liquide épais : une sorte d'huile qui s'enflamma sous l'effet du soleil. Néhémie appela ce liquide qui consuma l'holocauste : « *nephthaï* » (naphte).

Jean, d'après l'Apocalypse (IV, 5) vit « sept lampes brûler devant le trône de Dieu » : souvenir du chandelier à sept branches, confectionné d'après les ordres de Moïse « suivant le modèle qui lui fut montré sur la Montagne ». (Cf. Ex. XXV, 40.)

---

37. L'ampoule électrique, de couleur rouge remplace souvent l'ancienne « veilleuse ». Cette nouveauté supprime l'essentiel du symbole : l'huile consumée par le feu ; rappel du sacrifice ; la lampe sur laquelle veille un être humain qui, chaque jour renouvelle l'huile.

La lampe, figure de la prophétie, décrite dans le Coran : « verset de la lumière » (XXIV, 35) a ceci de particulier : son huile est d'origine miraculeuse (inconnue), elle ne vient ni de l'orient ni de l'occident) ; elle brûle, elle donne de la lumière « sans que le feu la touche ». (Cf. plus loin p. 160).

Le feu nouveau, allumé au début de la veillée pascale, comme on l'a vu plus haut, communiquera sa lumière au cierge et sa flamme à l'encens. Le diacre encensera le Missel contenant le texte de l'*Exultet* avant de le chanter.

L'encensement prescrit à trois reprises dans le rituel de la Messe de Paul VI est souvent omis de nos jours ; car il risquerait de rappeler le rite païen, idolâtrique, ou un moyen, utilisé parmi d'autres, chez certains peuples primitifs, pour chasser les démons. Le Missel de Pie X comprend des formules de prières très suggestives pour accompagner l'encensement : ce geste de purification, d'offrande, d'hommage au Très-Haut. L'image évoquée par le célébrant pour illustrer le va-et-vient entre la prière et la grâce divine n'a pas besoin d'explication... Il disait : « Que cet encens, bénit par toi, Seigneur, monte vers toi et que descende sur nous ta miséricorde » : ce texte est à rapprocher d'un verset du Psaume CXLI selon lequel le croyant s'adresse à Dieu en disant : « Que ma prière devant toi s'élève comme un encens. » Les coupes d'or pleines de parfum, tenues par les vingt-quatre vieillards de l'Apocalypse (V, 8) figurent « les prières des saints ». Le prêtre concluait l'encensement de l'autel sur lequel étaient posés le pain et le vin offerts à Dieu par cette prière : « Que le Seigneur fasse monter en nous le feu de son amour et la flamme de la charité éternelle. » Ensuite, un acolyte s'avançait vers la nef pour encenser les fidèles et les associer ainsi au Sacrifice en tant que membres de l'Église qui offre ce Sacrifice et membres du Christ : la victime offerte au Père. (L'encens est utilisé dans tous les rites solennels de bénédictions, de consécrations et lors des funérailles.)

L'encens qui, au contact du feu répand une fumée odorante, était quotidiennement brûlé lors des sacrifices offerts dans le Temple d'après la Loi ancienne. On se souvient de « l'autel des parfums ». L'Exode donne la composition du parfum à brûler, la façon de le préparer, son utilisation réservée strictement au culte. Il comportait cinq ingrédients. « L'offrande d'encens fin, aromatique » avait lieu dans le Temple chaque jour, matin et soir. (Cf. Ex. XXX, 7-8.)

Luc (I, 9) dit que l'ange apparut au prêtre Zacharie dans le Temple au moment où, selon sa fonction, il brûlait l'encens. L'encens est encore cité parmi les dons apportés à l'Enfant Jésus, par les mages venus d'Orient (Mt. II, 11) et suivant la prophétie d'Isaïe :

> Tous ceux de Saba viendront
> apportant de l'or et de l'encens
> et chantant les louanges de Yahvé.
>
> (Is. LX, 6)

Le Feu dans les Traditions bibliques et coraniques

Le 1er chapitre de la Genèse mentionne en tout premier lieu, la création de la lumière. Celle-ci serait donc, pour les Anciens l'élément (le mot est impropre), le premier phénomène apparu. Il n'est question ni de feu, ni de la création des esprits : anges et démons. Des textes postérieurs, la tradition et l'imagination des auteurs des temps reculés y suppléeront.

Les démons ne seraient que des anges déchus de leur pureté originelle à cause de leur faute initiale : le péché d'orgueil. Telle fut la cause de la chute de « Lucifer » (nom que lui donne la Vulgate : porteur de lumière), l'astre du matin, le « chef des anges » (le Coran (II, 34) dit à propos d'Iblis : « Il s'enorgueillit (en refusant d'obéir à Dieu) : il était au nombre des incrédules »).

Le serpent qui tenta Ève, d'après le récit de la Genèse, ne représente-t-il pas déjà le démon tentateur ; « l'ennemi » du genre humain ; celui que Pierre compare à un « lion dévorant » ? C'est ainsi que naquit, peu à peu l'idée de « Satan » et des démons. Mais ceci ne concerne pas notre sujet.

L'Ange de Yahvé qui apparut à Manoah et à sa femme, remonta au ciel dans une flamme de feu (Cf. Juges, XIII, 20). Le Psalmiste (Ps. CIV, 4) dit à Dieu : « Tu prends les vents pour messagers, pour serviteurs un feu de flammes. » S'agit-il ici des forces de la nature : tempête, foudre, éclairs ? Charles Spicq, dans son Commentaire de l'Épître aux Hébreux, où précisément ce même verset du Psaume CIV est cité, ajoute en note (I, 7) : « La première tradition juive (Targum...) sans tenir compte du contexte du Psaume, comprend que Dieu se crée des messagers rapides et agiles comme le vent et des serviteurs ardents et subtils comme des flammes de feu, un peu comme il fit l'homme de la poussière de la terre... Selon les Rabbins, les anges étaient créés à partir d'un fleuve de feu »... D'après la vision du Prophète Daniel (VII, 10) : « Son trône (celui de "l'Ancien", c'est-à-dire, celui de Dieu) était flammes de feu ardent. Un fleuve coulait devant lui. » À la suite d'un texte de la « Haggiga » (14 a), Charles Spicq ajoute que « ces anges naissaient chaque matin et retournaient au fleuve de feu après avoir loué Dieu ».

Les Pères de l'Église pensent, eux aussi, que les anges ont été créés de feu : Basile de Césarée écrit (« De Spiritu Sancto, » XVI, 38) : « La substance des esprits célestes est esprit subtil ou feu immatériel. » L'expression « Séraphins » appliquée à une catégorie d'anges signifie : « Ceux qui brûlent. » D'après Grégoire le Grand (*Morales* XXXI) tous « jaillissent comme les étincelles du silex ».

Enfin Hénoch (II Hén. XXIX, 3) fait dire à Dieu : « J'ai détaché du rocher un grand feu et du feu, j'ai créé en ordres (distincts) les dix troupes incorporelles des anges : leurs armes sont enflammées, leurs vêtements une flamme brûlante. J'ai commandé à chacun d'avoir à se tenir dans son ordre. »

D'après le Coran, Iblis, l'ange déchu, refuse de se prosterner devant Adam (le premier homme sorti des mains du Créateur), comme Dieu le lui ordonne. Il lui dit :

> « Je suis meilleur que lui.
> Tu m'as créé de feu
> et tu l'as créé d'argile. »
> (Cor. VII, 12 ; cf. XXXVIII, 76)

Les Djinns (esprits subtils mal définis), toujours d'après le Coran, auraient été créés « du feu de la fournaise ardente », c'est-à-dire : du feu de la Géhenne (Cor. XV, 27) ou, encore, « d'un feu pur » (Cor. LV, 15).

Après avoir parlé de la Création, œuvre des six jours, d'après la Genèse où il n'est nullement question de « feu », puis des « esprits » : anges et démons qui, selon les trois traditions monothéistes émaneraient du feu, nous allons noter la place que tiennent le feu et les symbolismes qui lui sont attachés, dans les récits bibliques et coraniques.

Le feu est mentionné pour la première fois, dans la Tora, au Chapitre III de la Genèse : Yahvé, après avoir chassé Adam et Ève du Paradis terrestre, à la suite de la faute commise par ce premier couple humain, « posta devant le jardin d'Eden les chérubins et la flamme du glaive fulgurant pour garder le chemin de l'arbre de vie ». (On retrouve ces « chérubins »

dans l'Exode où ce nom désigne des sculptures faites
au marteau.) Celles-ci rappellent les *kâribu* babyloniens, génies à forme mi-humaine, mi-animale qui veil-
laient à la porte des temples et des palais [38].

Déjà Abel offrait en sacrifice à Yahvé des bêtes de
son troupeau. On peut penser qu'il s'agit d'immola-
tions par le feu. Parmi les descendants de Caïn on cite
Tubal Caïn qui aurait été l'ancêtre de tous les forge-
rons.

Noé enduit l'arche de bitume (Gen. VI) : matière qui
nécessite l'emploi du feu. On a vu plus haut (p. 49), que
d'après le Coran le feu fut associé à l'eau lors du
déluge : à deux reprises, il y est question de « four qui
bouillonne » (Cor. XI, 40 et XXIII, 27). Ailleurs il est
dit encore, en désignant les victimes du déluge : « Ils
furent engloutis et introduits dans le feu à cause de
leurs fautes » (Cor. LXXI, 25). Cette même associa-
tion entre le feu et l'eau se retrouve dans le Talmud de
Jérusalem (*Sanhédrin* X, 5) : « Chaque goutte d'eau
que Dieu fit pleuvoir sur les contemporains du déluge
avait été chauffée d'abord dans l'enfer, puis versée sur
la terre. »

Il est plusieurs fois question du feu dans la vie
d'Abraham, d'après la Genèse, la tradition juive et le
Coran.

La Genèse cite le nom de son père : Térah. Celui-ci
fabriquait des idoles : le jeune Abraham les brisa,
d'après la tradition juive et d'après le Coran. Il fut
alors conduit devant Nimrod qui se prenait pour un
dieu et pour le maître du monde ; celui-ci dit à Abraham : « J'adore seulement le feu et je te jetterai au
milieu du feu... le dieu que tu adores viendra t'en délivrer. »

D'après le Coran, les polythéistes donnent l'ordre :
« Construisez pour lui (Abraham) une bâtisse et jetez-

---

38. Cf. note sur Ex. XXV, 18 de la Bible de Jérusalem.

le dans la fournaise » (Cor. XXXVII, 97) ; « brûlez-le »... Allah dit : « O feu ! Sois pour Abraham fraîcheur et paix ! »... (Cor. XXI, 68-69.)

Le commentaire israélite de la Genèse et le Coran (XXIX, 24) assurent que « Dieu a délivré Abraham de la fournaise ». Les Églises syriaque et copte célèbrent la mémoire de ce miracle. Celui-ci rappelle l'épisode rapporté par le Prophète Daniel : trois hommes furent jetés dans la fournaise ardente pour avoir refusé d'adorer la statue d'or élevée par le roi Nabuchodonosor à sa propre gloire ; eux aussi furent sauvés. « L'ange du Seigneur leur souffla au milieu de la fournaise, comme une fraîcheur de brise et de rosée, si bien que le feu ne les toucha point et ne leur causa douleur ni angoisse. Le roi, témoin de ce miracle, s'écria : "Béni soit le Dieu de (ces jeunes gens) qui a envoyé son ange et délivré ses serviteurs" » (Dan. chap. III).

Après avoir quitté sa patrie : Ur en Chaldée, Abraham se fixa en Canaan. Un jour, il prépara un sacrifice d'animaux qu'il fendit par le milieu. La nuit suivante, « une torche de feu passa entre les morceaux des victimes ». Yahvé lui montrait, en faisant descendre sur elles, le feu du ciel, qu'il acceptait l'holocauste : il concluait ainsi une alliance avec Abraham (Cf. Gen. XV). Ce miracle se renouvela en faveur de plusieurs prophètes comme on le verra plus loin. (Le Coran évoque les oiseaux coupés en morceaux par Abraham ; mais ceux-ci reviennent à la vie.)

Le récit de la Genèse (XVIII) rapporte que « trois hommes », trois envoyés célestes étaient venus annoncer à Abraham la naissance de son fils Isaac ; ils se dirigèrent ensuite vers Sodome.

D'après le Coran, Abraham ayant demandé à ses « hôtes honorés », les messagers d'Allah (Cf. Cor. LI, 24, 31) où ils se rendaient, après l'avoir quitté, ils lui répondirent, d'après des textes appartenant à différentes Sourates : « Nous sommes envoyés à un peuple cri-

minel » (LI, 32), « le peuple de Loth » (XI, 70)...
« Nous allons faire tomber du ciel un cataclysme sur
les habitants de cette cité parce qu'ils sont pervers »
(XXIX, 34). Mais « Loth et sa famille (seront) épar-
gnés » (XI, 81...) (Le Coran ne cite pas le nom de la
ville coupable.)

On lit dans la Genèse : « Yahvé fit pleuvoir sur
Sodome et sur Gomorrhe du soufre et du feu... Il
anéantit les villes »... Abraham vit alors que « la
fumée de la terre montait comme la fumée d'une fournaise » (Gen. XIX, 28).

Le Coran parle de pluie terrible, fatale ; d'ouragan,
de cataclysme, de chutes de pierres d'argile, sans men-
tionner le feu ; la cité coupable fut complètement
détruite. De même que Noé, le juste échappa au
déluge, cet autre juste : Loth fut préservé du châtiment
qui anéantit les coupables.

Yahvé ordonna à Abraham de lui offrir son fils en
holocauste : sacrifice qui exige l'emploi d'un couteau
pour égorger la victime puis du feu pour la consumer.
L'Ange arrêta le bras d'Abraham et celui-ci offrit un
bélier à la place d'Isaac. (Gen. XXII, 1-14.)

Le Coran rapporte un récit semblable : Allah dit :
« Nous avons racheté son fils par un sacrifice solen-
nel. » (Voici l'origine de la « grande fête » musulmane
durant laquelle les Musulmans du monde entier,
immolent un mouton en union avec les pèlerins réunis
à la Mekke.) (Cf. Cor. XXXVII, 101-111.)

Le feu et la lumière sont associés dans l'épisode du
buisson : première manifestation de Dieu à Moïse : la
révélation de son Nom essentiel (qui lui appartient en
propre). On lit au chapitre III de l'Exode : « Moïse
faisait paître le petit bétail de Jethro, son beau-père...
à la montagne d'Elohim, Horeb (le Mont Sinaï).
L'ange de Yahvé lui apparut dans une flamme de feu,
du milieu d'un buisson, et Moïse regarda : voici que le

buisson était embrasé par le feu mais il n'était pas dévoré ! Moïse se dit : "Je vais faire un détour pour voir" et Elohim l'appela du milieu du buisson ; il dit : "Moïse ! Moïse !" et celui-ci dit : "Me voici." Il dit : "N'approche pas d'ici, enlève tes sandales de tes pieds car le lieu sur lequel tu te tiens debout est un sol de sainteté". Puis il dit : "Je suis le Dieu de ton père, le Dieu d'Abraham, le Dieu d'Isaac et le Dieu de Jacob !"... Moïse dit à Elohim : "Si les fils d'Israël me demandent son nom, que leur dirai-je ?" Tu répondras aux enfants d'Israël : "Je suis" m'envoie vers vous... C'est mon Nom pour toujours »...

Voici maintenant plusieurs textes coraniques relatifs à ce même épisode : « Moïse aperçut du feu du côté du Mont (le Mont Sinaï) ; il dit à sa famille : "Demeurez ici, j'aperçois un feu peut-être en apporterai-je une nouvelle ou bien un tison ardent : peut-être vous réchaufferez-vous ?" » (Ailleurs, d'après la Sourate XX, 10, Moïse dit : « Ce feu me fera-t-il trouver une direction ? » — ceci fait penser à la colonne de feu qui, d'après l'Exode, guidait les Hébreux dans leur marche à travers le désert.) « Quand il y fut arrivé, on l'appela du côté droit de la vallée, dans la contrée bénie, du milieu de l'arbre : « O Moïse, je suis, en vérité, le Seigneur des mondes ! » (Cor. XXVIII, 30)... « Ote tes sandales ; tu es dans la vallée sainte de Tuwa. Je t'ai choisi ! Écoute ce qui t'est révélé : moi, en vérité, je suis Dieu ! Il n'y a de Dieu que moi. » (On reconnaît ici la formule de la première partie de la profession de foi musulmane : la *Shahada*) ; la voix continue : « Adore-moi donc ! observe la prière en invoquant mon nom »... (Cor. XX, 11-14).

On voit combien le récit coranique est proche de celui de l'Exode : le feu, la voix, la sainteté du lieu ; mais il ne fait pas mention du Nom révélé à Moïse. L'expression « Je suis » est reprise par le Christ se désignant lui-même : quatre fois selon l'Évangile de

Jean. D'après l'Apocalypse (I, 4, 8), Dieu est « Celui qui est, qui était et qui vient »...

Le mot « lumière » ne paraît pas dans le récit de la révélation de Yahvé au milieu du buisson, tel que le présente l'Exode (le Coran fait seulement allusion à un « feu » analogue à ceux qui sont allumés pour guider les caravanes). Il en est de même à propos de « la rencontre » (terme employé aussi par le Coran) de Moïse avec Dieu sur le Mont Sinaï. On lit dans l'Exode (Chap. XIX) : « Il y eut des tonnerres, des éclairs et une lourde nuée sur la montagne, un son de cor très fort... Le Mont Sinaï était tout fumant, parce que sur lui était descendu Yahvé dans le feu et sa fumée montait comme la fumée d'une fournaise. » Plus loin (Ex. XXIV, 17) il est dit que la gloire de Yahvé revêtait « l'aspect d'une flamme dévorante couronnant la montagne ». Le Deutéronome, reprenant le récit de l'Exode, répète plusieurs fois que Yahvé parla au peuple hébreux « du milieu du feu », lorsque sa voix se fit entendre à l'Horeb (Cf. Deut. IV, 15, 33, 36...).

Philon dans son livre sur le Décalogue (§ 44) ajoute : « Comme il était naturel, le lieu de la Révélation fut marqué par toutes sortes de prodiges : coups de tonnerre plus violents que n'en peuvent supporter les oreilles ; éclairs brillants d'un très intense éclat ; descente d'une nuée... avalanches de feu céleste ; épaisse fumée adombrant tous les alentours [39]... »

Moïse parlait et l'Elohim lui répondait (c'est pourquoi le Coran désigne Moïse comme étant celui à qui Dieu a parlé : « l'interlocuteur » ou le confident d'Allah). Ainsi furent édictés la Loi dont l'essentiel est contenu en dix commandements, dix « paroles » et le code de l'alliance. Parmi les prescriptions cultuelles imposées on cite des holocaustes quotidiens, l'encens qui doit fumer sur cet « autel des parfums » que l'on

---

39. Cf. *Targum* sur Ex. IX, 24.

retrouvera au ciel, d'après l'Apocalypse de Jean (Cf. Ex. XXIX - XXX ; Apoc. VIII, 3-5).

Le récit coranique concernant la « rencontre » de Moïse avec Dieu au Mont Sinaï ne parle ni de feu ni de fumée, mais seulement du Mont « mis en miettes ». (Ceci rappelle les « rochers qui se fendent » et ceux qui s'écroulent par crainte de Dieu — Voir p. 39).

L'épisode du veau d'or se situe, d'après l'Exode, après la première remise à Moïse des Tables de la Loi. Durant l'absence de Moïse (celui-ci était donc sur le Mont Sinaï), Aaron, son frère, pressé par le peuple fit fondre dans un moule « les anneaux d'or qui pendaient aux oreilles des femmes, de leurs fils et de leurs filles » ; il en coula une statue en forme de veau ; puis on proclama : « Voici ton Dieu, Israël, celui qui t'a fait monter du pays d'Égypte. » À son retour, Moïse, en colère précipita sur le sol les Tables de la Loi ; celles-ci se brisèrent... « Il se saisit du veau... il le brûla, le moulut en une poudre fine dont il saupoudra la surface de l'eau qu'il fit boire aux enfants d'Israël »... (Cf. Ex. XXXII ; Deut. IX).

Le Coran attribue à un certain « Samiri » la fabrication de cette idole. Ce nom rappelle le pays de Samarie dont les habitants, d'après le Prophète Osée, rendaient un culte à une idole en forme de veau. Le « Samiri » du Coran aurait donc jeté ou « lancé » dans le feu (le texte ne le dit pas, mais on peut le supposer), « des charges de parures » (en or ?) pour en faire sortir un « corps mugissant ». Les coupables dirent alors : « Voici votre dieu et le dieu de Moïse » (Cf. Cor. XX, 87-88).

Le Coran revient une autre fois sur cet épisode en disant :

> Moïse étant absent
> les fils d'Israël firent avec leurs parures
> le corps d'un veau mugissant.
> Ne voyaient-ils pas

que ce veau ne leur parlait pas
et ne les dirigeait pas.

(Cor. VII, 148)

Le Moïse du Coran, comme celui de l'Exode, brûla le veau puis il dispersa ses cendres dans la mer. (Cor, XX, 97.) D'après ces deux livres, Moïse intercéda en faveur du peuple coupable et Dieu lui pardonna son infidélité.

L'Exode nous apprend que Moïse monta une seconde fois sur le Mont Sinaï ; il dit à Dieu : « Fais-moi donc voir ta gloire. » Réponse : « Tu ne peux pas voir ma face, car l'homme ne peut me voir et vivre » (Ex. XXXIII, 18, 20).

D'après le Coran, les fils d'Israël avaient demandé à Moïse : « Fais-nous voir Dieu clairement »... La foudre les emporta à cause de leur impiété (Cor. IV, 153).

Le Coran sait que Moïse et les fils d'Israël errèrent sur la terre durant quarante ans (Cor. V, 26). (L'Exode nous apprend que Moïse mourut avant d'atteindre la Terre promise.)

Durant tout ce temps, et toujours d'après l'Exode (XIII, 21), « Yahvé précédait le peuple d'Israël, le jour, sous la forme d'une colonne de nuée, et la nuit en la forme d'une colonne de feu pour les éclairer ». Plus loin (XL, 38) il est dit qu'un feu brillait dans la nuée : il reposait sur la « Demeure », c'est-à-dire sur le Tabernacle renfermant les Tables de la Loi. (Cf. Deut. I, 33 ; Ps. LXXVIII, 14... et plus loin p. 153.)

Ce feu du ciel descendu sur le Sinaï pour annoncer la remise des Tables de la Loi à Moïse et la confirmation de l'Alliance, vient parfois brûler le sacrifice déjà préparé pour montrer que Dieu l'agrée. D'après le Coran nul ne doit croire un prophète, « tant qu'il n'aura pas montré un sacrifice (*qurban*) que le feu consume » (Cor. III, 183). Ceci se produisit en faveur d'Abraham, comme on l'a vu plus haut.

L'épisode du prophète Élie, aux prises avec les adorateurs de Baal, revêt une certaine importance dans la Bible et dans le Coran. Le 1ᵉʳ Livre des Rois raconte comment, sur le Mont Carmel, Élie proposa une ordalie aux prophètes de Baal : deux taurillons furent préparés pour le sacrifice. Élie dit : « Vous invoquerez... le nom de votre dieu, et moi, j'invoquerai le nom de Yahvé : le dieu qui répondra par le feu, ce sera lui, le Dieu »...

Les prophètes de Baal invoquèrent leur dieu, le feu ne descendit pas ; Élie leur dit : « Criez plus fort, c'est un dieu, il a des soucis ou des affaires, ou bien il est en voyage ; peut-être dort-il et il se réveillera »... À l'heure où monte l'oblation, le prophète Élie s'avança et dit : « Yahvé, Dieu d'Abraham, d'Isaac et d'Israël, que l'on sache aujourd'hui que tu es Dieu en Israël, que je suis ton serviteur et que c'est de ta part que j'ai fait toutes ces choses. Réponds-moi, Yahvé, réponds-moi ! »... Le feu de Yahvé tomba ; il dévora l'holocauste et le bois (qui avaient été abondamment arrosés auparavant). Tout le peuple vit la chose. Ils tombèrent sur leur face en disant : « C'est Yahvé qui est Dieu »... Élie fit exécuter les adorateurs de Baal, pas un seul ne subsista. (Cf. Iᵉʳ Rois, XVIII, 20-40.) Plus tard, Élie fut enlevé au ciel dans un char et des chevaux de feu. (Cf. II Rois, II, 11 ; Eccli. XLVIII, 9.)

Le Coran semble reprendre ce même récit en disant :

Élie était au nombre des envoyés.
Il dit à son peuple :
« Ne craindrez-vous pas Dieu ?
Invoquerez-vous Ba'al ?
Délaisserez-vous le meilleur des créateurs :
Dieu, votre Seigneur :
Le Seigneur de vos premiers ancêtres ? »

Ils le traitèrent de menteur :
ils seront réprouvés,
à l'exception des serviteurs sincères de Dieu.

Nous avons perpétué son souvenir dans la postérité :
« Paix sur Élie. »

(Cor. XXXVII, 123-130)

Le mythe concernant le feu du ciel descendu sur les holocaustes revient plusieurs fois dans la Bible. Outre les phénomènes cités plus haut, en faveur d'Abraham et d'Élie, on peut encore noter ceux qui ont servi à confirmer les missions de Moïse et Aaron (Lév. IX, 24), de Gédéon (Juges VI, 21). De plus, la gloire de Yahvé apparut dans le Temple que Salomon venait d'achever, comme un signe de consécration, de prise de possession. (Cf. II chron. VII, 1 et plus loin p. 153.)

L'auteur de l'Épître aux Hébreux établit un parallèle entre l'aspect effrayant dont fut entourée sur le Mont Sinaï, la promulgation de la Loi, fondement de l'ancienne Alliance et la venue du Christ inaugurant la nouvelle Alliance. Il dit aux Juifs devenus chrétiens : « Vous ne vous êtes pas approchés d'une réalité palpable : feu brûlant, obscurité, ténèbres, ouragan, bruit de trompette... Si terrifiant était le spectacle que Moïse dit : "Je suis terrifié et tremblant !" Au contraire, vous vous êtes approchés de la montagne de Sion et de la cité du Dieu vivant, de la Jérusalem céleste... et de Jésus médiateur d'une nouvelle alliance » (Cf. Hébr. XII, 18-24).

Cependant, comme on l'a vu plus haut : Jean-Baptiste, le dernier Prophète avant le Christ, baptise Jésus dans le Jourdain, puis il annonce l'avènement de celui qui « baptisera dans l'Esprit Saint et dans le feu ».

Esprit et Feu

D'après le chapitre II du Livre des Actes des Apôtres, les disciples du Christ réunis dans une chambre haute, le jour de la Pentecôte « virent apparaître des langues qu'on eut dites de feu : elles se divisaient et il s'en posa une sur chacun d'eux. Tous furent alors remplis de l'Esprit-Saint »... Ceci se passait donc, cinquante jours après la Résurrection du Christ.

Les Israélites, de leur côté, alors que les dates ne correspondent plus, célébraient, sept semaines après leur Pâque, la fête des moissons ou des prémices. Depuis le IIᵉ siècle après Jésus Christ, ils commémorent en ce jour-là, « l'anniversaire de la Tora » : « Le jour où la Loi nous fut donnée », dit la liturgie juive ; le Jour le plus saint de l'année, car Dieu, en s'adressant à Moïse pour lui dicter sa Loi, fit de son peuple, un peuple privilégié.

Dans la Nouvelle Alliance, l'effusion de l'Esprit Saint sur les disciples du Christ, marque la naissance d'une nouvelle Communauté, fondée par le Christ, par son Incarnation, sa vie terrestre, sa mort, sa Résurrection, son Ascension. Dès lors l'Église formera un corps constitué, chargé d'enseigner et de répandre la doctrine chrétienne, nourrie de l'Évangile.

Une hymne, composée au IXᵉ siècle par Raban Maur, destinée à être chantée à l'office de tierce, le jour de la Pentecôte (heure à laquelle se produisit le miracle cité plus haut), dit ceci : « Viens Esprit Créateur »... « Source vive, feu, amour »... La séquence de la messe de ce même jour l'implore en disant : « Viens, Esprit Saint, remplis les cœurs de tes fidèles et allume en eux le feu de ton amour. » On peut donc le comparer à un feu qui se répand partout ; ainsi, d'après le Pseudo-Denys [40] : « La théologie situe les allégories du feu, presque au-dessus de toutes les autres... L'Essence divine suressentielle... échappe à toute figuration, cependant le feu fournit des images visibles de cette action et de cette présence divine

---

40. *Hiérarchie céleste*, XV, 2, trad. Gandillac, p. 236-238.

immanente, toute puissante. » L'auteur passe du monde matériel au monde spirituel avec une maîtrise inégalable. Nous lui empruntons cette longue citation selon laquelle il démontre, en des termes complètement étrangers à toute conception scientifique, que l'univers entier est soumis à la Toute-Puissance divine. Voici comment il s'exprime : « Le feu sensible est, pour ainsi dire, partout présent, il illumine tout sans se mêler à rien et tout en demeurant séparé. Il brille d'un éclat total et demeure en même temps secret, car en soi, il reste inconnu hors d'une matière qui révèle son opération propre. On ne peut ni supporter son éclat, ni le contempler face à face, mais son pouvoir s'étend partout, et là où il naît il attire tout à soi, faisant dominer son acte propre. Par cette transmutation il fait don de soi à quiconque l'approche si peu que ce soit : il régénère les êtres par sa chaleur vivifiante. Il les éclaire par ses éclatantes illuminations, mais en soi il demeure pur et sans mélange. Il a le pouvoir de décomposer les corps sans subir lui-même aucune altération. Il agit vivement. Il vit sur les hauteurs, il échappe à toute attraction terrestre, il se meut sans cesse, il se meut lui-même et il meut les autres. Son domaine s'étend partout, mais il ne se laisse enfermer nulle part. Il n'a besoin de personne. Il s'accroît insensiblement, manifestant sa grandeur en toute matière qui l'accueille. Il est actif, puissant, partout invisible et présent. Négligé, il semble qu'il n'existe pas. Mais sous l'effet de ce frottement qui est comme une prière, il apparaît brusquement avec toutes ses qualités propres, bientôt on le voit prendre un irrésistible essor et c'est sans rien perdre de soi qu'il se communique joyeusement autour de lui. On trouverait encore plus d'une propriété du feu qui s'applique, comme une image sensible, aux opérations de la Théarchie. »

D'autre part, Gaston Bachelard [41] commentant une

---

41. *Psychanalyse du Feu*, 1949, p. 94.

citation empruntée à Auguste Rodin : « Toute chose n'est que la limite de la *flamme* à laquelle elle doit son existence », ajoute : « Sans notre conception du feu intime formateur, du feu saisi comme facteur de nos idées et de nos rêves, du feu considéré comme germe, la flamme objective, entièrement destructive, ne peut expliquer la profonde intuition de Rodin. À méditer cette intuition, on comprend que Rodin soit en quelque sorte le sculpteur de la profondeur et qu'il ait en quelque manière, contre la nécessité inéluctable de son métier, poussé les traits du dedans vers le dehors, comme une vie, comme une flamme. »

Ces considérations rappellent « L'éloge de la Sagesse » tel qu'il figure dans le livre du même nom :

> En elle... est un esprit intelligent, saint,
> unique, multiple, subtil,
> agile, pénétrant, sans souillure,
> clair, impassible...
> qui peut tout, surveille tout,
> pénètre tous les esprits,
> les intelligents, les purs, les plus subtils...
> Elle traverse et pénètre tout, grâce à sa pureté.
>
> (Sag. VII, 22-24)

Dieu nous fournit lui-même la raison pour laquelle il accorde à l'homme de tels dons. Il lui dit, par la bouche du Prophète Jérémie (XXXI, 3) : « Je t'ai aimé d'un amour éternel. »

On lit dans la Ire Épître de Jean (IV, 8 et 16) : « Dieu est amour » (caritas). Et, plus loin : « Il nous a aimés le premier. » En retour, l'homme lui doit un amour exclusif, conforme à toute justice. Celui-ci n'est pas sans rapport avec celui que les êtres humains se doivent les uns aux autres. Il est écrit, déjà dans l'ancienne Loi : « Tu aimeras Yahvé, ton Dieu, de tout ton cœur, de toute ton âme et de tout ton pouvoir » (Deut. VI, 5) et, en conséquence : « Tu aimeras ton prochain

comme toi-même » (Lév. XIX, 18). Jésus reprenant ces deux préceptes ajoute : « À ces deux commandements se rattache toute la Loi ainsi que les prophètes » (Mt. XXII, 40...).
L'amour éprouvé par le croyant à l'égard de Dieu peut être comparé à un feu. Les mystiques évoquent le feu pour exprimer la violence d'un amour hautement spirituel. (On sait que saint Jean de la Croix a intitulé un de ses ouvrages : *La vive flamme d'amour.*) La seule approche du « divin » émeut et attire le cœur des hommes, en même temps qu'elle les effraye, comme on le verra plus loin, à propos de la justice divine. (Voir p. 121 s.)

Les deux pèlerins rencontrés par le Christ sur le chemin d'Emmaüs dirent, lorsque le Maître les eut quittés : « Notre cœur n'était-il pas tout brûlant audedans de nous quand il nous parlait en chemin et qu'il nous expliquait les Écritures ? » (Lc. XXIV, 32).

Le feu symbolise l'amour ardent ; les passions humaines parfois coupables... : le Siracide recommande aux croyants de s'écarter des femmes ; il dit : « L'amour s'enflamme comme un feu. » Plus loin l'auteur compare « la passion brûlante » à un « brasier » (Eccli, IX, 8 ; XXIII, 17).

Purification

Le feu est aussi un agent de purification : le prophète Malachie dit, en parlant de Yahvé :

Il est comme le feu du fondeur
et comme la lessive des blanchisseuses
Il purifiera les fils de Lévi et les affinera
comme or et argent.
Ils deviendront pour Yahvé
ceux qui présentent l'offrande comme il se doit.

(Mal. III, 2-3)

Pierre annonce aux justes les épreuves qu'ils auront à subir ; il ajoute : « Afin que la valeur de votre foi, plus précieuse que l'or périssable que l'on vérifie par le feu devienne un sujet de louange, de gloire et d'honneur, lors de la Révélation de Jésus-Christ » (I Pr. I, 7).

Le feu possède la propriété de purifier les métaux : ce symbolisme trouve des applications dans la Bible. Ainsi, on lit dans l'Ecclésiastique (II, 5) : « L'or est éprouvé dans le feu, et les élus dans la fournaise de l'humiliation. » Yahvé dit au prophète Zacharie, en lui désignant les justes pris parmi le peuple : « Je les épurerai comme on épure l'argent, et les éprouverai comme on éprouve l'or » (Zach. XIII, 9) [42]. Un ange purifia Isaïe « en touchant ses lèvres avec une braise » (Is. VI, 6-7).

Les croyants, conscients de leurs fautes et affamés de Dieu, désirent être purifiés par la grâce divine, comparable à l'action purificatrice du feu sur les métaux.

L'eau et le feu sont donc des éléments qui symbolisent une purification ou un châtiment. Une purification, créatrice d'une vie nouvelle ; un châtiment ici-bas et qui, dans l'au-delà ne finira pas en ce sens que le temps n'existera plus.

Les évangélistes rapportent un épisode selon lequel le démon projetait alternativement un enfant « lunatique » dans le feu et l'eau ; un tel rapprochement fait penser à une sorte de « caricature » de l'action divine. (Cf. Mt. XVII, 15 ; Mc. IX, 22.)

Une autre fois, Jésus fait allusion au déluge qui fit périr tous les hommes coupables, puis il ajoute : « Aux jours de Loth »... lorsque celui-ci « sortit de Sodome, Dieu fit tomber du ciel une pluie de feu et de soufre qui fit périr ses habitants. De même en sera-t-il le jour où le Fils de l'homme doit se révéler » ; c'est-à-

---

42. Cf. Is. I, 25, XLVIII, 10 ; Apoc. III, 18.

dire au Jour du Jugement dernier. (Cf. Lc. XVII, 27-30, II Pr. II, 5-6.) Philon [43] établit cette même comparaison entre le châtiment de l'eau (au temps de Noé) et le châtiment par le feu (au temps d'Abraham). De même que Noé, le juste, fut sauvé lors du déluge, Loth fut préservé du feu (le châtiment envoyé sur Sodome, par lequel périrent les impies). Le prophète Isaïe désigne Israël, l'élu de Dieu, en disant :

« Ne crains pas, car je t'ai racheté,
je t'ai appelé par ton nom, tu es à moi.
Si tu passes par les eaux, je serai avec toi
par les fleuves, ils ne te submergeront pas.
Si tu traverses le feu, tu n'y brûleras pas,
et la flamme ne te consumera pas »...

(Is. XLIII, 1-2)

D'après le Coran, comme on l'a vu plus haut, les injustes furent engloutis dans les eaux du déluge, puis « introduits dans un feu, à cause de leurs fautes » (cf. Cor. LXXI, 25).

Justice divine

Le feu symbolise parfois dans la Bible (Ancien et Nouveau Testament) la justice divine et ses conséquences pour les hommes. Il est aussi une expression de la sainteté de Dieu comme au Sinaï. L'Épître aux Hébreux le rappelle en disant : « Vous ne vous êtes pas approchés... d'un feu qui brûlait »... (Hébr. XII, 18).
L'auteur du Deutéronome s'adresse au croyant : « Yahvé, ton Dieu est un feu dévorant » (Cf. Hébr. XII, 29) ; et il ajoute : il est « un Dieu jaloux » (Deut.

---

43. *De Vita Mosis*, II, 54-58, p. 217.

IV, 24) : « il ne tolère pas d'autres dieux ni leurs images à côté de lui » (Ex. XX, 3-6 ; Deut. V, 7-10).

« Le Dieu vivant est un Dieu jaloux » : cette expression, dit Jean Daniélou « comme celle de la "colère de Dieu" est, en réalité une manière concrète de traduire une réalité théologique essentielle ; le refus de Dieu d'admettre dans les cœurs un partage de l'adoration qui n'est due qu'à lui [43 bis] ».

Ce que l'on désigne par un terme anthropomorphique « jalousie divine » est, en fait, une conséquence de l'amour de Dieu envers ses créatures, si bien que la Tora assimile à un « adultère » tout abandon de la Loi ; tout mépris de l'Alliance contractée entre Dieu et son peuple ; toute idolâtrie. (Cf, Jér. V, 7 ; IX, 1...)

Le mot « vengeance » est également employé au sujet de l'action divine, pour signifier, en quelque sorte, un rétablissement de la justice souveraine qui a été bafouée. Jérémie, par exemple, attend de la puissance divine d'être vengé de ses persécuteurs (cf. Jér. XI, 20 ; Apoc. VI, 10).

Le Psaume LXXXIX évoque tout un drame : il chante d'abord la fidélité avec laquelle Dieu aime son peuple. Yahvé lui dit : « J'ai fait une alliance avec mon élu... J'ai trouvé David, mon serviteur, je l'ai oint de mon huile sainte... À jamais je lui garde mon amour »... Cependant :

> « Si ses fils abandonnent ma loi,
> ne marchent pas selon mes jugements,
> s'ils profanent mes préceptes
> et ne gardent pas mes commandements,
> je visiterai avec des verges leur péché,
> avec des coups leur méfait,
> mais sans retirer de lui mon amour,
> sans faillir dans ma fidélité. »

---

43 bis. *La Jalousie divine,* apud « Dieu vivant » N° 16, 1950.

Mais ils péchèrent ; ils furent punis : leurs ennemis les vainquirent, leur force fut anéantie. David se plaint :

> Jusques à quand, Yahvé, seras-tu caché ?
> Jusqu'à la fin ?
> Brûlera-t-elle comme un feu, ta colère ?...

Un autre Psaume appelle la vengeance divine sur les impies et les persécuteurs :

> Dieu, ils sont venus les païens dans ton héritage
> ils ont souillé ton Temple sacré ;
> ils ont fait de Jérusalem un tas de ruines,
> ils ont livré le cadavre de tes serviteurs
> en pâture à l'oiseau des cieux,
> la chair des tiens aux bêtes de la terre.
>
> Ils ont versé le sang comme de l'eau
> alentour de Jérusalem, et pas un fossoyeur...
>
> Jusques à quand, Yahvé ta colère ? Jusqu'à la fin ?
> Ta jalousie brûlera-t-elle comme un feu ?
>
> Déverse ta fureur sur les païens
>   ceux qui ne te connaissent pas...
>
>   (Ps. LXXIX, 1-6)

Jérémie, lui aussi (XXI, 12) compare « la colère » divine à un feu qui brûle sans que personne ne puisse l'éteindre. Ezéchiel (XXII, 21) évoque le « feu de la fureur divine ».

Enfin, voici une description imagée des châtiments qui atteindront le peuple d'Assur, ennemi d'Israël. Le prophète Isaïe dit, en parlant de Yahvé :

> Ardente est sa colère
> lourde son oppression
>
> Ses lèvres débordent de fureur ;
> sa langue est comme un torrent débordant
>   qui monte jusqu'au cou.

Il vient cribler les nations
au crible destructeur.

(Is. XXX, 27-29)

On lit dans l'Ecclésiastique (XLVIII, 1) : « Alors le prophète Élie se leva comme un feu, sa parole brûlait comme une torche » pour faire venir la famine et faire descendre le feu du ciel sur les coupables. De même, les disciples Jacques et Jean, devant le refus des Samaritains de recevoir Jésus, lui disent : « Veux-tu que nous ordonnions au feu de descendre du ciel et de les consumer ? » (Lc. IX, 54), comme il était descendu à la demande d'Élie sur les ennemis de celui-ci. (Cf. II Rois, I, 10-12).

La Parole même de Yahvé « brûle comme un feu » (cf. Jér. XXIII, 29), elle séparera, en les jugeant, les réprouvés des élus, au Jour du Jugement.

Isaïe semble prévoir ce jour terrible :

... Voici que Yahvé vient dans le feu
— ses chars sont comme l'ouragan —
pour exercer sa colère avec fureur
et sa menace par un feu flamboyant.

C'est par le feu que Yahvé s'est fait juge,
et par son épée, à l'égard de toute chair :
nombreuses seront les victimes de Yahvé.

(Is. LXVI, 15-16)

Les textes de Paul, relatifs au Jugement dernier (« Jour de colère », d'après l'Épître aux Romains — II, 5), rappellent ceux que l'on vient de citer ; il dit : « Jésus se révélera... au milieu d'une flamme brûlante... Il tirera vengeance de ceux qui ne connaissent pas Dieu et de ceux qui n'obéissent pas à l'Évangile de notre Seigneur Jésus » (II Thes. I, 7-9). Le même Apôtre rapproche une autre fois l'idée de Jugement de celle du feu quand il dit : « L'œuvre de chacun deviendra manifeste, le Jour (du Jugement) la fera connaître, car il doit se révéler dans le feu, et c'est ce feu qui éprouvera la qualité des œuvres de chacun... celui dont l'œuvre est mauvaise sera damné ; celui dont l'œuvre est bonne sera sauvé, comme à travers le feu » (Cf. I Cor. III, 13, 15).

Le Coran, lui aussi, parle de la colère d'Allah et du châtiment des coupables dans la Géhenne, comme d'un accomplissement de sa parfaite justice. En voici un exemple : on lit :

> Celui qui tue volontairement un croyant
> aura la Géhenne pour rétribution :
> il y demeurera immortel.
>
> Dieu exerce son courroux contre lui ;
> il le maudit ;
> il lui a préparé un terrible châtiment.
>
> (Cor. IV, 93)

Le refuge de celui qui encourt la colère de Dieu sera la Géhenne.

De plus, on lit à trois reprises dans le Coran : « Allah est puissant ; il est le Maître de la vengeance » (Cor, III, 4...), toujours dans la même perspective de la rétribution finale.

Le rapprochement de ces textes nous amène tout naturellement à parler du Jugement dernier et de la vie future ; sans oublier la prophétie de Sophonie concernant le dernier Jour. Il y est encore question de la justice divine sous son aspect le plus effrayant. Il dit :

> Au jour de la colère de Yahvé,
> au feu de sa jalousie
> toute la terre sera dévorée.
> Car il va détruire, oui, exterminer
> tous les habitants de la terre.
>
> (Soph. I, 18)

Isaïe, avec les prophètes et comme le fera plus tard le Coran, fait trembler les hommes à la pensée de la fin du monde et du Jugement dernier qui condamnera les impies. Il dit :

« Qui d'entre nous séjournera
auprès du feu dévorant ?
Qui d'entre nous séjournera
auprès des embrasements perpétuels ? »

(Is. XXXIII, 14)

Eschatologie

Avant de revenir sur la question du feu en tant qu'instrument des châtiments réservés aux impies dans la Géhenne, il convient de considérer comment les trois religions monothéistes étudiées, envisagent la fin du monde, la résurrection, le Jugement dernier et la vie future.

Les hommes de science « prévoient », s'il est permis de s'exprimer ainsi, la fin de notre univers dans un avenir éloigné de quelques milliards d'années. Les uns parlent d'un refroidissement progressif de la terre et les autres de catastrophes et d'un anéantissement produits par des explosions parmi lesquelles le risque nucléaire n'est pas exclu.

Les croyants en un seul Dieu affirment, de leur côté, que l'univers (le leur) a eu un commencement et finira un jour ou l'autre. (Nul ne sait ni le jour, ni l'heure.) Ils affirment, à la suite de Paul : tout vient de Dieu ; nous sommes faits pour lui et nous reviendrons à lui. (Cf. I Cor. VIII, 6.) Le Coran insiste sur cet article de foi commun au Christianisme et à l'Islam : « Tout vient de Dieu et retourne à lui. »

Pierre rappelle le début du monde, puis le déluge ; il ajoute : « Déjà, le feu est mis en réserve en vue du Jour du Jugement et de la ruine des impies... Le Jour du Seigneur viendra comme un voleur ; en ce Jour les cieux se dissiperont avec fracas, les éléments embrasés se dissoudront, la terre avec les œuvres qu'elle renferme sera consumée » (Cf. II Pr. III, 7-10).

Les prophètes et le psalmiste, à la suite du Deutéronome parlent du feu de la colère de Yahvé, comme étant la cause du cataclysme final. On a dit plus haut (p. 121) que les mots « colère » et « vengeance », dans le Coran, sont appliqués à Dieu d'une façon métaphorique et signifient l'accomplissement implacable de la Justice divine.

Voici maintenant quelques descriptions imagées des prodromes de la fin du monde, telles qu'on les rencontre dans la Bible et dans le Coran.

Le Prophète Isaïe (XIII, 13) dit : « Les cieux seront ébranlés » ; et le Coran (LXXXII, 1) : « Le ciel se rompra. » L'auteur de l'Épître aux Hébreux voit les cieux « roulés comme un manteau » (Hébr. I, 12) et, d'après le Coran (XXI, 104) : le ciel sera semblable « à un rouleau sur lequel on écrit ». (Cf, Is. XXXIV, 4 ; Apoc, VI, 14.)

Plusieurs prophètes : Isaïe, Joël, Amos... déclarent que le soleil, la lune, les étoiles seront obscurcis. L'évangéliste Matthieu reprend les mêmes thèmes en disant : « Le soleil s'obscurcira, la lune ne donnera plus sa clarté, les étoiles tomberont du ciel et les puissances des cieux seront ébranlées » (Mt. XXIV, 29).

Le feu, sujet du présent chapitre, est rarement nommé dans ces effroyables descriptions. Cependant, le prophète Joël (III, 3) parle « de sang, de feu, de colonnes de fumée » ; et le Coran de « jets de feu et d'airain fondu » ; il ajoute que le ciel sera semblable à du « métal fondu » (Cf. Cor. LV, 35 et LXX, 8-9).

Enfin l'idée de feu est associée à celle du Jugement dernier qui sera suivi du châtiment pour les impies. On lit dans le Psaume L :

Le Dieu des dieux, Yahvé, accuse
il appelle la terre du levant au couchant...

Devant lui, un feu dévore
autour de lui, bourrasque violente ;
il appelle les cieux d'en haut
et la terre pour juger son peuple.

(Ps. L, 1, 3-4)

D'après les oracles sibyllins [44] un fleuve de feu apparaîtra le Jour du Jugement, sans doute comme une annonce du châtiment qui le suivra. Saint Augustin dit : « La terre sera jugée par le feu » (*La Citée de Dieu* : XX, 21).

Le Coran, lui aussi décrit les phénomènes eschatologiques comme des préludes au Jugement. Voici des versets placés au début des Sourates LXXXI et LXXXII, propres à illustrer notre sujet : l'annonce du Jugement dernier :

Lorsque le soleil sera décroché
et les étoiles obscurcies ;
lorsque les montagnes se mettront en marche...
lorsque le ciel sera déplacé ;
lorsque la fournaise sera attisée
et le Paradis rapproché
toute âme saura ce qu'elle devra présenter.

Lorsque le ciel se rompra
et que les étoiles seront dispersées ;
lorsque les mers franchiront leurs limites
et que les sépulcres seront bouleversés ;
toute âme saura
ce qu'elle a fait de bien et de mal.

Saint Paul prévoit la Résurrection des morts suivie du Jugement dernier. Il écrit aux Corinthiens : « Il faut que nous tous soyons mis à découvert devant le tribunal du Christ, pour que chacun retrouve ce qu'il aura fait pendant qu'il était dans son corps, soit en

---

44. Trad. Bouché Leclercq, R.H.R. VIII, 1883.

bien, soit en mal » (II Cor. V, 10). On lit dans l'Épître aux Hébreux : « Tout est nu, dénudé, aux yeux de celui à qui nous devons rendre compte » (Hébr. IV, 13).

D'après le Coran, Dieu affirme à celui qui est jugé : « Ta vue est perçante aujourd'hui »... (Cor. L, 22). Chaque être humain est garant pour lui-même. Allah dit : « Laisse-moi seul avec celui que j'ai créé » (Cor. LXXIV, 11). Saint Paul avait déjà écrit : « Chacun de nous rendra compte à Dieu pour soi-même » (Rom. XIV, 12). On lit encore dans le Coran un texte qui laisserait supposer la responsabilité personnelle de chacun :

> Celui qui aura fait
>   le poids d'un atome de bien le verra ;
> celui qui aura fait
>   le poids d'un atome de mal le verra.
>
> (Cor. XCIX, 7-8)

Nous en venons à considérer le feu comme instrument du châtiment dans l'au-delà.

Parole du Seigneur à ceux qui n'auront pas secouru leur prochain : « Allez, maudits, dans le feu éternel qui a été préparé pour le diable et ses anges » (Mt. XXV, 41).

« Scripta manent » : ce qui est écrit reste ; il est difficile, même pour les falsificateurs animés des meilleures intentions (pastorales), de gommer entièrement certains textes, car ils subsistent, à travers les siècles. Mais, comment interpréter, en les adoucissant, les symboles relatifs aux punitions des injustes, au-delà de la mort ? Images adoptées et reprises par de nombreuses traditions.

Lorsque les Chrétiens affirment que Jésus, après sa mort est descendu « aux Enfers » (« lieux » assimilés à une « prison » par Pierre dans sa Ire Épître : III, 19), cette expression désigne ce monde inconnu que les

Anciens plaçaient au centre de la terre. On pense alors au spectre de Samuel qu'une femme « fit monter de la terre » (Cf. I Sam. XXVIII, 7-25). Paul, dans l'Épître aux Éphésiens (IV, 9) dit que « Jésus est descendu dans les régions inférieures de la terre ». Ailleurs (Philip. II, 10), il fait allusion à ces trois mondes : le ciel, la terre et le monde souterrain (l'abîme, le *tiama* des hébreux), lorsqu'il souhaite qu'au nom de Jésus, « tout genou fléchisse sur la terre, au plus haut des cieux et dans les enfers ». Il ne s'agit pourtant pas d'un « lieu » proprement dit mais d'un état, Jésus ressuscité n'est pas allé visiter les « damnés » mais, peut-être a-t-il rappelé à lui, les âmes, les esprits de tous les morts qui attendaient la venue du Messie. Jésus, lit-on dans l'Apocalypse (I, 18) « détient la clé de la mort et de l'Hadès ».

Le mystère, relatif à l'enfer, séjour supposé des damnés, demeure entier, mais on souhaiterait le voir libéré des images accumulées au cours des siècles : les flammes éternelles attisées par les démons cornus et menaçants, qui faisaient peur aux petits enfants et même aux adultes des temps passés. On parlait de peines éternelles, c'est-à-dire qui ne finiraient jamais sans penser que le « temps », tel que nous le concevons n'existera plus. Ces « flammes » restent le symbole des tourments subis par les « âmes », privées, par leurs fautes de la vue de Dieu.

Sainte Catherine de Gênes [45], employant le langage imagé et passionné de son époque dit, en parlant de l'être humain après sa mort, mis en présence de la « divine essence » toute pure : « L'âme trouvant en elle-même la plus légère imperfection, se jetterait d'elle-même dans un millier d'enfers plutôt que de paraître souillée en la présence de la divine Majesté. » Le « Purgatoire » répondrait ainsi à ce besoin de puri-

---

45. *Traité du Purgatoire,* chap. VIII.

fication. Les mots utilisés par la sainte : « vue de
Dieu » ; « sainteté de Dieu » ; « âmes séparées des
corps » évoquent les réalités absolument impensables,
inexprimables : elles appartiennent à des catégories
d'êtres que l'intelligence ne peut concevoir.

On trouve plusieurs fois, dans le Nouveau Testament, comme synonyme du mot courant « enfer »,
l'expression « Géhenne ». Ce mot provient de
l'Hébreu en passant par le Grec. Il désignait, à l'origine et d'après le Prophète Jérémie, la vallée de *Ben
Hinnom*. Là, s'élevait le temple de Moloch où les idolâtres brûlaient des victimes humaines dont les cada-
vres, jetés en plein air, continuaient à brûler et à se
décomposer, comme l'atteste le prophète Jérémie
(VII, 31-33 ; XXXII, 35). Celui-ci associe la description de ce lieu maudit au châtiment encouru par les
péchés d'Israël.

Peu à peu on oublia la signification topographique
du mot « Géhenne » : il devint synonyme de *shéol*,
mot qui, en hébreu désigne le séjour des morts comme
un lieu souterrain et obscur. (On revient donc à la
signification du mot « enfer ».) Le *shéol* est donc un
lieu de tourments et de ténèbres où les damnés se trouvent au milieu d'un feu qui brûle sans éclairer. Le Ier
Livre d'Hénok parle de vallée, de feu brûlant, d'abîme
à propos des punitions de l'au-delà.

Le Nouveau Testament mentionne plusieurs fois la
Géhenne, assimilée à une fournaise ardente, un feu
éternel devenu, dans l'Apocalypse de Jean, un étang
de feu ou de soufre embrasé.

Les auteurs chrétiens, à la suite du Prophète Isaïe
(LXVI, 24), cité par Marc (IX, 48), comme Hippolyte
et Ignace d'Antioche, parlent de feu inextinguible : les
corps des damnés seraient brûlés, sans jamais être
consumés.

Le feu est considéré comme l'élément essentiel aux
tourments des damnés. Le prophète Malachie dit :

« Le Jour vient, brûlant comme un four. Ils seront de la paille, tous les insolents et malfaisants » (Mal. III, 19). D'après Ephrem et le Coran (II, 24...) les damnés servent d'aliment au feu. On trouve dans ce livre la même comparaison entre le Jour du Jugement, le châtiment qui le suivra et « un feu ardent » ; « une fournaise » comme on l'a vu plus haut.

La tradition juive décrit, elle aussi la Géhenne. D'après le Talmud de Jérusalem, elle est située au centre de la terre (Sanh. 110 bis), là où Coré fut précipité d'après le Livre des Nombres (XVI, 31-32) et le Coran (XXVIII, 81) ; elle est immense et ne peut être mesurée ; elle est divisée en sept parties ; son feu est soixante fois plus chaud que le feu terrestre ; elle est cependant plongée dans les ténèbres [46].

Le mot arabisé devient : *jahannam*. On le retrouve 77 fois dans le Coran ; le mot *nar*, feu, plus de cent fois. Plusieurs autres appellations désignent cette « détestable demeure » ; « maison d'éternité » (expression appliquée aussi au Paradis), ce « lieu dont on ne revient pas ». Le Coran ajoute :

Comment pourrais-tu comprendre
ce qu'est ce feu ardent ?
Il n'épargne rien,
il dévore les mortels.
(Cor. LXXIV, 27-29 ; cf. 42 et LIV, 48)

Toujours d'après le Coran, les réprouvés seront nombreux. On lit (c'est Allah qui parle) :

« Nous pousserons les criminels dans la Géhenne comme on conduit un troupeau à l'abreuvoir. »
(Cor. XIX, 86)

---

46. Cf. D. Masson, *Monothéisme coranique et monothéisme biblique*, 1984, p. 729-731.

Et encore : « Je remplirai la Géhenne de vous tous »
(VII, 18)... « de Djinns et d'hommes réunis »
(XI, 119)... « Nous dirons à la Géhenne : "Es-tu rem-
plie ?" Elle dira : "Peut-on en ajouter encore ?" »
(L, 30).

L'auteur du Livre des Proverbes avait déjà affirmé :

> Il y a trois choses qui jamais ne disent « Assez ! » :
> le shéol, le sein stérile,
> la terre que l'eau ne peut rassasier,
> le feu qui jamais ne dit : « Assez ! »
>
> (Prov. XXX, 15-16)

D'après Ephrem (*Sermo alter de reprehensione*),
les damnés tombent dans la mer de feu ; ils
souffrent sans répit ; les flammes les entourent de tous
côtés ; leurs bouches vomissent le feu.

Le Coran reprend en parlant des damnés :

> Ils seront exposés à un souffle brûlant ;
> dans une eau bouillante ;
> sous une ombre de fumée chaude.
>
> (Cor. LVI, 42-43)

Leur boisson sera de l'eau bouillante ou fétide ;
leurs vêtements « taillés dans le feu » ; ils seront liés
avec des chaînes et flagellés par les démons.

Toutes ces terribles images semblent bien faites pour
montrer aux croyants la gravité de leurs fautes envers
Dieu ; de leurs désobéissances à sa Loi ; elles vou-
draient les en détourner en utilisant les descriptions des
châtiments douloureux qui en seront la « rétribution »
après leur mort.

À la suite de ces pages sombres, il convient d'aborder le chapitre consacré à la lumière : elle appartient à
cette terre, mais elle trouvera son plein achèvement
dans la Lumière éternelle.

Chapitre III

La lumière

Quelles sont les données fondamentales sur lesquelles peut s'appuyer une étude sur le symbolisme de la lumière dans les trois religions monothéistes ?

Une fois de plus, un rapprochement s'impose, entre le Iᵉʳ chapitre de la Genèse et le prologue de l'Évangile selon saint Jean ; entre ce qui apparaît à nos yeux et les réalités spirituelles.

« Dieu dit... et la lumière fut »...

Dans le Verbe est la vie, et la vie est la lumière des hommes... « En lui (le Verbe fait chair) est la lumière qui éclaire tout homme venant en ce monde. »

Jésus lui-même a dit : « Je suis la lumière du monde » (Jn. VIII, 12) ; nul autre que lui (Verbe incarné) ne pouvait prononcer une telle parole ; elle ne convient qu'à Dieu seul : Créateur de toute lumière. En effet, l'apôtre Jacques écrit : « Tout don excellent, toute donation parfaite vient d'en haut et descend du Père des lumières » (Jc. I, 17).

Le Symbole de Nicée contient une formule lapidaire relative au mystère du Dieu UN dans la Trinité de ses Personnes : le Fils (le Verbe) est lumière jaillie de toute éternité de la Lumière qui n'est autre que le Père. Dieu est donc « Lumière » et il est « Vie » : source de vie et source de lumière. Son action dans le monde spirituel est, pour ainsi dire, analogue à celle du soleil dans notre univers. Le Pseudo-Denys condamne les Anciens qui en font un « démiurge » ; cependant, il écrit, en le désignant : « C'est du Bien que lui vient la lumière et il est lui-même l'image du Bien... aussi célèbre-t-on le Bien en l'appelant lumière ; puisqu'à travers l'image, c'est le modèle qui se révèle... Cette bonté qui demeure au-delà de tout ce qui existe, pénètre tout ce qui est créé, lui donne la vie ; elle le façonne, elle le conserve et le perfectionne, elle est à sa mesure, sa cause et sa fin. » C'est ainsi que l'auteur compare « la Bonté divine à ce grand soleil qui est toute lumière et dont l'éclat ne cesse jamais, parce qu'il est un faible écho du Bien, et c'est lui qui éclaire tout ce qui peut être éclairé, c'est lui qui possède une lumière débordante et qui déverse sur la totalité du monde visible... l'éclat de son propre rayonnement »... Le pouvoir réceptif des êtres est plus ou moins faible et parfois nul... Mais « c'est vers cette lumière que tendent toutes les réalités sensibles, pour recevoir d'elles, soit la puissance de voir, soit le mouvement, l'éclairage, la chaleur et plus généralement la conservation de l'être » (*Noms divins*, trad. cit. p. 97, 99).

Pour Grégoire de Nazianze aussi, la lumière de ce monde matériel est un symbole de celle qui émane de Dieu, comme de sa source et qui illumine les croyants. Il dit au cours d'un sermon : « Dieu est une lumière souveraine, inaccessible et incompréhensible : aucune intelligence ne peut le percevoir et aucune parole l'expliquer, alors qu'elle éclaire toute nature douée de raison. Elle exerce dans le domaine des intelligibles, un rôle analogue à celui du soleil par rapport aux choses sensibles » (*Oratio* XL, *in sanctum baptisma*, 5).

Le soleil

Le soleil, facteur essentiel de la lumière en notre univers, est célébré par de nombreuses traditions populaires et religieuses. Avant de remonter à de plus anciens documents, nous citerons une description du soleil conforme à celles que l'on trouve dans les écrits bibliques antérieurs. Elle est empruntée au Livre de Ben Sira, écrit vers 190 avant le Christ, en hébreu ; plus connu dans sa version grecque. L'auteur dit :

> Orgueil des hauteurs, firmament de clarté,
>> tel apparaît le ciel dans son spectacle de gloire.
> Le soleil, en se montrant, proclame dès son lever :
>> « Quelle merveille que l'œuvre du Très Haut ! »
> À son midi, il dessèche la terre,
>> qui peut résister à son ardeur ?
> On attise la fournaise pour produire la chaleur,
>> le soleil brûle trois fois plus les montagnes,
> exhalant des vapeurs brûlantes,
>> dardant ses rayons, il éblouit les yeux.
> Il est grand, le Seigneur qui l'a créé
>> et dont la parole dirige sa course rapide.
>
> (Eccli. XLIII, 1-5)

D'autre part, le culte du soleil était assez répandu, pour que les livres de l'Ancien Testament en gardent des échos précis. Tout d'abord, Yahvé s'adresse à Israël en lui disant : « Quand tu lèveras les yeux vers le ciel, quand tu verras le soleil, la lune, les étoiles et toute l'armée des cieux, ne va pas te laisser entraîner à te prosterner devant eux et à les servir » (Deut. IV, 19). Plus loin (XVII, 2-7) ce même Deutéronome prescrit de lapider jusqu'à ce que mort s'ensuive, ceux ou celles qui servent d'autres dieux ; ceux et celles qui se prosternent devant le soleil, la lune... Le prophète Jérémie (VIII, 2) veut que les coupables « ne soient pas enterrés et restent sur le sol en guise de fumier »... Le prophète Ezéchiel cite, entre autres abominations de

nature à provoquer la colère divine, le fait suivant :
« Il y avait environ vingt-cinq hommes tournant le dos
au sanctuaire de Yahvé. » Ils se trouvaient à l'entrée
du sanctuaire ouvert vers l'est et « ils se prosternaient
vers l'orient, devant le soleil » (Ezéch. VIII, 16-18).
Au temps de Josias (640-609) on voyait encore de faux
prêtres qui sacrifiaient à Ba'al, au soleil, à la lune, aux
constellations et à toute l'armée du ciel. (Cf. II, Rois
XXIII, 5.)

Ces mises en garde contre les cultes rendus aux astres
trouvent un écho dans le Coran où on lit :

> Ne vous prosternez
> ni devant le soleil, ni devant la lune.
> Prosternez-vous devant Dieu qui les a créés...
>
> (Cor. XLI, 37)

Il ne nous appartient pas d'énumérer ici tous les peuples anciens, plus ou moins adorateurs du soleil,
depuis les Japonais qui le personnifiaient sous le nom
de la déesse Amaterasa, jusqu'aux Germains qui le
représentaient par un disque d'or et les latins pour qui
Apollon était le dieu du soleil.

Un des cultes solaires remontant à la plus haute
Antiquité et le mieux connu est celui au profit duquel
les Égyptiens bâtirent la ville d'Héliopolis : la cité du
Soleil (située au nord-est du Caire et devenue le fau-
bourg de Matarieh). Le dieu soleil y était révéré sous
plusieurs noms : Rê, Amon Rê, Aton ; incarné dans le
phénix et le taureau Mnévis. L'astre, dans son aspect
réaliste est représenté par un disque entouré d'un serpent ou un soleil dont les rayons sont semblables à des
bras terminés par des mains ouvertes, symboles des
bienfaits répandus sur les hommes. Ce soleil est le créateur de l'univers, le dispensateur de la vie.

Le pharaon Aménophis IV (1377-1358 avant l'ère
chrétienne), nom qui signifie « Amon est satisfait »
prit le nom de Akhenaton : « celui qui est agréable à

Aton ». Il voulut instituer un culte solaire proche d'un certain monothéisme qui aurait supplanté toutes les autres divinités. Sa tentative échoua après une dizaine d'années et ses successeurs le considérèrent comme un hérétique.

Quoi qu'il en soit, nous ne résistons pas au plaisir de citer un extrait de l'hymne monothéiste à Aton, composé, ou tout au moins inspiré par Aménophis IV. Nous empruntons cette traduction à C. Desroches-Noblecourt :

> Magnifique est ton apparition à l'horizon du ciel,
>   ô Disque vivant qui vécus le premier !
> Une fois levé à l'horizon du ciel,
>   tu remplis toutes les terres de ta beauté.
> Tu es beau, tu es grand, tu étincelles
>   et tu domines toutes les contrées.
> Tes rayons embrassent les pays,
>   tous, autant que tu en as créés.
> Tu es Rê et tu pénètres jusqu'à leur extrémité.
> Tu les enchaînes pour ton fils chéri (le pharaon).
> Bien que tu sois éloigné, tes rayons sont sur terre.
> On te voit, et (pourtant) on ne connaît pas ta marche.
>
> Lorsque tu te reposes
> dans l'horizon occidental du ciel
> Comme si elle était morte,
> la terre est dans l'obscurité...
>
> Lorsque tu te lèves à l'horizon, la terre s'illumine
> En tant que Disque tu luis, durant le jour,
> Et tu chasses les ténèbres.
> Lorsque tu fais don de tes rayons.
> Le double pays (les habitants de l'Égypte), est en fête.
> Les hommes s'éveillent et se dressent sur leurs pieds
> Car tu les as fait lever ;
> Ils lavent leurs membres, et prennent leurs vêtements,
> Leurs bras se lèvent en adoration lorsque tu apparais
> Et puis le pays tout entier se livre à son travail.

La traductrice remarque ici des analogies avec les œuvres mystiques du Moyen Âge, notamment avec cet admirable chant de saint François d'Assise :

> Sois loué, ô Seigneur, avec toutes tes créatures,
> Surtout avec Monsieur mon Frère, le Soleil,
> Qui produit le jour, et nous éclaire de sa lumière,
> Il est beau, il rayonne d'éclat ;
> De toi, ô Seigneur, il porte l'emblème [46 bis].

Mais il convient encore de citer les versets du Psaume CIV qui décrivent l'action du soleil, dans l'univers, en des termes comparables à ceux que l'on vient de lire. Il s'agit du Créateur :

> Il a fait la lune pour (indiquer) les temps,
> Le soleil (connaît) l'heure de son coucher.
> Tu amènes les ténèbres, et c'est la nuit ;
> lors se remuent toutes les bêtes de la forêt,
> les lionceaux rugissent après leur proie
> et demandent à Dieu leur nourriture ;
> le soleil se lève, ils se retirent
> et dans leurs tanières ils se couchent ;
> l'homme sort pour sa tâche,
> pour son travail jusqu'au soir.
> Que tes œuvres sont nombreuses, Yahvé !
> Tu les fis toutes avec sagesse ;
> la terre est remplie de tes créatures...
>
> Tous attendent de toi
> que tu donnes leur nourriture en son temps ;
> tu la donnes ; ils la recueillent,
> tu ouvres ta main ; de biens ils se rassasient,
> tu caches ta Face : ils sont épouvantés,
> tu leur retires ton souffle : ils expirent
> et à leur poussière ils retournent,
> tu envoies ton souffle : ils sont créés
> et tu renouvelles la face de la terre.
>
> (Ps. CIV, 19-24 ; 27-30 ; Trad. Osty)

---

46 bis. *Histoire Générale des Religions* (1948), T. I, p. 322 : *Les Religions égyptiennes,* Aristide Quillet, éditeur.

Nous ajouterons ici une remarque nécessaire mais étrangère à notre sujet : le culte solaire égyptien dont on vient de parler était-il vraiment inspiré par un certain « monothéisme » ? Il relève plutôt d'un « hénothéisme » analogue à celui que Babylone rendait à Mardouk, à peu près à la même époque (2 000 ans avant notre ère). Le culte égyptien passa chez les Hittites ; on en retrouve les traces jusqu'en Espagne.

On connaît l'importance primordiale des cultes solaires primitifs au nord comme au sud de l'Arabie où le soleil se nomme *shams* (nom féminin) alors que le mot *qamar*, lune, est masculin.

Le soleil (*shamash*) dieu de la justice, était considéré comme une divinité en Babylonie. (On se souvient de la légende juive, retrouvée dans le Coran selon laquelle, le jeune Abraham qui vivait en Chaldée vers 1800 avant l'ère chrétienne, aurait été tenté d'adorer le soleil, puis la lune... Il comprit son erreur en constatant leur disparition journalière.)

Outre les Babyloniens, E. Dhorme remarque que le soleil était encore vénéré par les Sumériens, les Accadiens, les Assyriens. Il ajoute : « Les épithètes font de *Shamash* la lumière des contrées, la lumière du monde, la lumière des hauteurs et des profondeurs, la lumière des cieux et de la terre, la lumière des dieux »... « Il est essentiellement ''celui qui donne la vie'' et ''celui qui fait revivre le mort''. Il est celui qui dirige tout l'univers : les choses d'en haut et les choses d'en bas, les créatures de vie, toute l'humanité, même les dieux... Vainqueur de la nuit et de la mort, *Shamash* est le héros par excellence... Shamash qui a dicté ''les jugements du droit'' à Hammurabi est aussi ''roi de justice'' [47]. »

En Perse, au XIVe siècle avant Jésus-Christ, Mithra, dieu de la lumière est identifié à *Shamash* dans le

---

47. *Les Religions de Babylonie et d'Assyrie,* 1945, p. 63.

Zoroastrisme. Ainsi, il est resté le dieu de la vie et de la justice.

Le culte de ce « Sol invictus », de ce soleil invincible fut introduit chez les latins ; ainsi, dit F. Cumont : « Rome eut ici la Syrie pour maîtresse et pour devancière. Une divinité unique, toute-puissante, éternelle, universelle, ineffable qui se rend sensible dans toute la nature mais dont le soleil est la manifestation la plus splendide et la plus énergique, telle est la dernière formule à laquelle aboutit la religion des Sémites païens et à leur suite celle des Romains [48]. »

C'est ainsi que Rome se préparait à son insu, à accueillir l'idée d'un Dieu unique, ce qui créa une certaine concurrence avec le Christianisme naissant. Enfin, sous Constantin, en 312, le « Summus Deus », le Dieu Très-Haut des chrétiens supplanta le « Sol invictus ». (Titre qui fut usurpé par certains empereurs romains.)

D'après Mircea Eliade [49], le 25 décembre (ou une date approchante) était considéré comme « le jour de naissance » de toutes les divinités solaires orientales, comme celle aussi du « Sol invictus » dont on vient de parler. Le soleil « renaît » ce jour-là dans les régions tempérées de l'hémisphère boréal ; autrement dit : les jours redeviennent plus longs et les nuits plus courtes.

C'est ainsi que les latins fixèrent en ce même 25 décembre la fête de la naissance du Christ, alors que les églises d'Orient la célèbrent le jour de l'Épiphanie. La liturgie byzantine de ce jour est une véritable fête de la lumière en même temps qu'une célébration de l'eau en souvenir du baptême du Christ.

Les anciens cultes solaires ont laissé des traces indubitables dans le culte chrétien, aussi bien en Orient qu'en Occident.

---

48. *Les Religions orientales dans le paganisme romain*, p. 161.
49. *Histoire des croyances et des idées religieuses*, T. II, p. 390 s.

Déjà, le Temple de Jérusalem avait été construit de telle sorte, que le grand Prêtre officiait en se tenant face à l'Orient. Les anciennes églises et les cathédrales étaient « orientées » de façon à ce que le clergé et les fidèles prient face à l'Orient. Les futurs baptisés se tournaient vers l'Orient pour prononcer leur acte de foi. Les chrétiens des premiers siècles se tournaient vers l'Orient pour prier : Tertullien est témoin de cette coutume, il dit : « Certains croient que le soleil est notre dieu. L'origine de ce soupçon, est le fait bien connu que nous nous tournons vers l'Orient pour prier » (*Apologeticus*, XVI, 9).

La liturgie chrétienne se plaît à comparer le Christ au soleil. Déjà Zacharie, le père de Jean Baptiste prononça des paroles prophétiques en s'adressant au nouveau-né : « Et toi, petit enfant... tu seras appelé "Prophète du Très-Haut"... Tu précéderas le Seigneur pour lui préparer les voies »... Ainsi le Christ est attendu comme le « Soleil levant » qui viendra « illuminer ceux qui se tiennent dans les ténèbres et l'ombre de la mort » et qui « guidera nos pas dans le chemin de la paix » (Cf. Lc. I, 76-79).

Une des antiennes des vêpres, chantée quatre jours avant Noël, fête de la naissance du Christ l'invoque en disant : « O Orient, splendeur de la lumière éternelle et Soleil de justice, viens et illumine ceux qui demeurent dans les ténèbres et l'ombre de la mort. » Enfin, la Vierge Marie, d'après une antienne de la fin du Xe siècle est celle qui a enfanté « le Soleil de Justice ».

Les hymnes latines destinées à être chantées au lever du jour, célèbrent le soleil comme une nouvelle illumination, un renouveau de vie ; elles feraient penser à une « salutation au soleil », symbole de la lumière divine qui n'est autre que le Christ : « Source de clarté » et, d'après Alcuin, « Lumière et origine de la lumière » (p. 255) [50].

Voici trois strophes d'une hymne ambrosienne :

> Splendeur de la gloire du Père
> Qui de la lumière dispense la lumière ;
> Lumière de lumière, fontaine de lumière
> Jour illuminant le jour.
> Et vrai Soleil, pénètre-nous
> des fulgurances d'un éclat éternel
> et répands sur notre entendement
> l'irradiation du Saint-Esprit...
> L'aurore ouvre sa carrière.
> Qu'avec l'aurore se manifeste tout entier
> Le Fils tout entier dans le Père
> Et le Père tout entier dans le Verbe.
>
> (p. 41, 43)

Moments des prières quotidiennes réglés d'après le cadran solaire

Le rythme des prières rituelles quotidiennes dans les trois religions monothéistes est en accord avec celui du soleil.

La prière juive de chaque jour, d'après le prophète Daniel et le Psaume LV (verset 18), a lieu trois fois par jour : matin, midi, soir. Le Talmud de Jérusalem témoigne du maintien de ces trois prières traditionnelles quand il dit : « Elles sont établies par rapport aux trois modifications qui se succèdent tous les jours pour les créatures ; ainsi le matin on doit dire : « Je te rends grâce, Eternel, mon Dieu et Dieu de mes pères, de ce que tu m'as fait sortir des ténèbres (de la nuit) à la lumière (du jour). » L'après-midi on doit dire : « Je te rends grâce, Éternel, mon Dieu et Dieu de mes pères,

---

50. Cette citation et les suivantes sont empruntées à Henry Spitzmuller, *Poésie latine chrétienne du Moyen Age.*

de ce que tu m'as permis de voir le soleil au couchant comme au levant. » Le soir on dit : « Qu'il te soit agréable, Éternel, mon Dieu et Dieu de mes pères, de me faire sortir des ténèbres à la lumière comme tu l'as déjà fait »... (La prière du matin viendrait d'Abraham... Celle de l'après-midi d'Isaac... Celle du soir de Jacob » (T.J. *Berakot,* IV, 6).

Les Chrétiens, sans se soucier, comme les Musulmans le feront plus tard, de la position exacte du soleil tout au long du jour, ont suivi la coutume romaine, en fixant arbitrairement à 6 heures du matin la première heure du jour et la prière de « Prime » ; à 9 heures la prière de « Tierce » ; à midi la prière de « Sexte » ; les Vêpres au coucher du soleil puis, une prière du soir : « Complies » ; les prières nocturnes, les Matines et une prière de louanges : les laudes à célébrer avant le jour. Ce qui, en exceptant la prière de Complies, rajoutée plus tard, porte à 7 le nombre des prières quotidiennes, conformément au Psaume CXIX (vt. 164) où il est dit à Dieu : « Sept fois le jour, je te loue. » (De nouvelles dispositions font disparaître petit à petit, le sens d'une liturgie qui se déroulait, en harmonie avec la nature, au rythme des jours et des nuits.)

Alors que les Musulmans ont adopté un calendrier lunaire, les moments de leurs prières quotidiennes sont fixés selon un système basé sur la position exacte et quotidienne du soleil. (Des spécialistes sont chargés de procéder aux calculs astronomiques requis.) La première prière rituelle de la journée a lieu au moment précis où le soleil paraît à l'horizon. La prière du milieu de la journée a lieu peu après le passage du soleil au méridien ; la troisième prière, vers le milieu de l'après-midi ; viennent ensuite la prière du moment où le soleil disparaît à l'horizon, puis celle de la nuit. Cinq prières par jour, auxquelles on ajoute, dans certains pays musulmans des prières nocturnes surrérogatoires.

Le lever et le coucher du soleil déterminent chaque jour, durant le mois de ramadan, le début et la fin du jeûne rituel. Voici une légende au sujet de la prière du matin, celle du *fajr*, celle de la fente : le soleil naissant « fend » l'ombre qui se disperse : cette prière aurait été instituée en souvenir d'Adam : sa joie et son bonheur de voir réapparaître le soleil après la nuit angoissée qui suivit le jour de sa création !

Après avoir mentionné le rythme des prières rituelles quotidiennes, rythme en harmonie avec celui du soleil, il convient de parler plus spécialement des fêtes chrétiennes qui, chaque année suivent le cours des saisons en commémorant les grandes étapes de la vie du Christ, depuis sa naissance jusqu'à sa mort, sa Résurrection et son Ascension.

Année liturgique chrétienne

Quelle est la place réservée au symbolisme du soleil et de la lumière dans l'année liturgique chrétienne ?

Après l'extinction des luminaires le Vendredi Saint, jour de la commémoration de la mort du Christ, jour de deuil, une lumière « nouvelle » jaillit du feu au début de la veillée pascale. A part ce jour funèbre, mais rempli d'espérance : le salut vient de la Croix ; on peut dire que la « célébration » ou le souvenir de la lumière accompagne chaque fête chrétienne.

L'année liturgique commence par quatre semaines d'attente de la venue du Christ « soleil levant ». Sa naissance est annoncée aux bergers par une manifestation de la gloire divine. L'Épiphanie est la fête de l'apparition, fête de la lumière destinée à éclairer toutes les races humaines. Celles-ci sont représentées en ce jour par les mages (savants ou astrologues) venus d'Orient en suivant un astre mystérieux pour rendre hommage à l'Enfant Jésus. La lecture de ce jour,

empruntée au prophète Isaïe contient cette annonce
solennelle qui s'adresse en fait à Jérusalem :

> Debout ! Rayonne, car voici ta lumière
> et sur toi se lève la gloire de Yahvé...
> Au-dessus de toi se lève Yahvé
> et sa gloire apparaît au-dessus de toi.
> Les nations marchent vers ta lumière
> et les rois vers ta clarté naissante.
> Lève les yeux aux alentours et regarde :
> tous se rassemblent et viennent à toi...
> Vers toi afflueront les trésors de la mer
> Les richesses des nations arrivent chez toi...
> Tous ceux de Saba viendront
> apportant de l'or et de l'encens...
>
> (Is. LX, 1-6 ; cf. IX, 1)

(Les mages, en offrant au nouveau-né de l'or et de
l'encens (cf. Mt. II) semblent reconnaître en lui le Dieu
qui a pris la nature humaine.)

Quarante jours après sa naissance et conformément
à la loi de Moïse concernant les premiers nés, Jésus fut
présenté au Temple. Le vieillard Syméon accueillit
l'Enfant qui sera, dit-il, une « lumière » destinée à
éclairer les nations et la gloire d'Israël (cf. Lc. II, 32).
La liturgie latine célèbre le 2 février cette présentation
de Jésus au Temple ; sa mère, la Vierge Marie le portant dans ses bras. La messe de ce jour est précédée de
la bénédiction des cierges et d'une procession : « Voici
que Notre Seigneur vient avec sa puissance : il éclairera
ses serviteurs. Alleluïa ! » Le célébrant rappelle
ensuite le sens de cette fête ; puis, dans une 1re oraison
il invoque Dieu : « Source et origine de la Lumière »
lui demandant de bien vouloir faire accéder son peuple
à la lumière inaltérable. La IIe oraison reprend : « O
Dieu ! Vraie lumière, Créateur de la lumière éternelle,
répands dans les cœurs de tes serviteurs la clarté de
cette lumière »... La procession s'avance en chantant
le Cantique du vieillard Syméon.

Après la 1re lecture de la messe on chante :

> Portes, levez vos frontons,
> élevez-vous, portes éternelles
> qu'il entre le roi de gloire.
> Qui est ce roi de gloire ?
> Lui, Yahvé Sabaoth,
> lui, le roi de gloire.

(Ps. XXIV, 9-10)

Seule la date de la fête de Pâques est fixée, chaque année d'après le calendrier lunaire : le dimanche qui suit le 14e jour de la lune de mars. (Elle peut ainsi osciller, suivant les années entre le 22 mars et le 25 avril.) La Pâque juive, commémoration de l'immolation de l'agneau, suivie de l'Exode, de la sortie d'Égypte du peuple hébreu, est célébrée le 14e jour de ce mois de Nisan, le premier de l'année juive qui se situe au printemps.

On a vu plus haut, à propos du Baptême, que la liturgie de la veillée pascale est une véritable fête de la lumière : « Lumière du Christ » joyeusement acclamée. Les évangélistes ne parlent pas de phénomènes lumineux, lors de la Résurrection du Christ, car personne ne fut témoin du passage effectif du corps de Jésus, de la mort à la vie : de la victoire qu'il remporta sur la mort, de la gloire de cette résurrection, comme l'exprime la séquence de la messe du jour de Pâques. La liturgie de ce jour est imprégnée d'une joie grave et non exubérante et triomphante comme celle de la nuit précédente où éclate la joie : « Le Christ est ressuscité, Alleluia ! » On se souvient de la gravité de l'introït ou chant d'ouverture : « Le Christ est ressuscité comme il l'avait dit »... Simple constatation, pourrait-on dire, soulignée par une mélodie très proche, musicalement, de celle qui prélude à la messe de la nuit de Noël : « Le Seigneur m'a dit : Tu es mon fils, moi, je t'engendre aujourd'hui »... alors que la messe de la vigile avait

annoncé : « Demain matin, vous verrez sa gloire »...
Textes et musiques destinés à favoriser une adoration
silencieuse de Dieu en son mystère.

Les deux récits de l'Ascension du Christ : celui de
Luc (XXIV, 50-53) et celui des Actes (I, 9-11) sont très
concis. Le premier dit simplement que Jésus fut séparé
de ses disciples ; « il était emporté au ciel » ; les
témoins « s'en retournèrent à Jérusalem en grande
joie ». D'après les Actes, Jésus « fut enlevé et une
nuée vint le soustraire aux yeux (de ses disciples) ».
Puis les anges annoncèrent son retour, sans préciser
qu'il s'agissait du Jugement dernier. Les textes liturgiques célèbrent évidemment dans la joie ces perspectives glorieuses.

Le Saint-Esprit est descendu sur les disciples du
Christ sous forme de langues de feu le jour de la Pentecôte. Aussitôt ceux-ci se mirent à parler en diverses
langues. Ce don extraordinaire, unique, semble signifier que la bonne nouvelle, l'Évangile, devra être
annoncé dans le monde entier, dans toutes les langues,
à tous les peuples de la terre. (Sa diffusion n'est pas
liée, comme celle du Coran, à une langue unique et originelle. Ni l'hébreux, ni l'araméen, ni le grec, ni le latin
ne sont des langues sacrées.) On a vu plus haut (p.
116) que le symbolisme du feu semble le plus propre à
évoquer la puissance de l'Esprit Saint, en raison de sa
manifestation au jour de la Pentecôte et parce qu'il est
« amour » suivant la formule employée par plusieurs
Pères de l'Église. Il est aussi « Lumière » ; « Esprit de
Vérité », dit Jésus (Jn. XVI, 13). La séquence de la
messe de la Pentecôte l'invoque en disant : « O
lumière souverainement heureuse ! » (O lux beatis-
sima), « remplis le fond du cœur (cordis intima) de tes
serviteurs ». Étant à la fois amour et lumière, il est « le
Don (par excellence) du Très-Haut ». Jésus avait dit :
« Lorsque le Paraclet (le consolateur, l'avocat) viendra, il vous enseignera toute chose » (Jn. XIV, 26).

L'Église a voulu illustrer les formes multiples de l'action du Saint-Esprit sur les croyants, en lui attribuant le pouvoir d'accorder aux hommes sept dons (sept formes attribuées au « Don » divin), sept vertus (le mot « vertu » étant pris dans le sens de force infuse, de potentialité) qui constituent les caractéristiques de la vie chrétienne, sur le plan de la connaissance des vérités révélées comme sur celui de l'éthique. Il s'agit, entre autres du don de sagesse, de celui de science... autant de prédispositions chez les croyants à recevoir les lumières destinées à leur faire pressentir la Divinité. Le prophète Isaïe énumère des dons similaires déjà reconnus chez le fils de Jessé ancêtre du Messie. Il dit :

> Sur lui repose l'esprit de Yahvé,
> esprit de sagesse et d'intelligence,
> esprit de conseil et de force,
> esprit de science et de crainte de Yahvé...
>
> (Is. XI, 2)

Une assistance toute particulière de l'Esprit Saint est, en outre promise à l'Église par ces paroles de Jésus adressées au chef des apôtres : « Tu es Pierre et sur cette pierre je fonderai mon Église et les portes de l'enfer ne prévaudront pas contre elle » (Mt. XVI, 18). C'est là une promesse formelle de continuité, de pérennité. Elle permet à l'Église romaine d'enseigner qu'elle est seule à posséder le pouvoir de définir la foi chrétienne sans jamais dévier. L'Esprit Saint éclaire et inspire le magistère enseignant de l'Église, de telle sorte que celle-ci, malgré la faiblesse et les déficiences et les fautes de ses membres et de ses représentants ne peut faillir quand il s'agit des dogmes imposés à la foi des fidèles, selon des conditions nettement déterminées.

Ainsi la première Pentecôte chrétienne marque un événement capital dans l'institution visible de l'Église et de son organisation ; elle parachève l'année liturgique ; elle en est le couronnement : fête de lumière, car la mission de diffuser et de maintenir dans leur rigueur doctrinale les enseignements de l'Église est attribuée à l'Esprit Saint, chaque jour invoqué.

En terminant ce très court exposé sur l'Esprit Saint source de lumière et de sainteté nous citerons ces lignes du prophète Isaïe, car il semble permis d'appliquer à l'Esprit Saint, ce qui est dit de la Sagesse :

> Elle est un souffle de la puissance divine,
> une effusion toute pure
> de la gloire du Tout-Puissant ;
> aussi, rien de souillé ne pénètre en elle.
> Elle est un reflet de la lumière éternelle
> un miroir sans tache de l'activité de Dieu,
> une image de son excellence.
> Bien qu'unique, elle peut tout,
> sans sortir d'elle-même, elle renouvelle toute chose.
> Elle se répand au long des âges dans les âmes saintes,
> elle en fait des amis de Dieu et des prophètes ;
> car Dieu n'aime que celui qui vit avec la Sagesse.
> Elle est, en effet plus belle que le soleil,
> elle surpasse toutes les constellations ;
> comparée à la lumière elle l'emporte :
> car la lumière fait place à la nuit,
> mais contre la sagesse le mal ne saurait prévaloir.
> Elle déploie sa force d'un bout du monde à l'autre
> et d'une manière bienfaisante régit l'univers.
>
> (Sag. VII, 25-30 ; VIII, 1)

Deux fêtes encore, parmi d'autres, faisant partie du cycle liturgique retiendront notre attention, car elles évoquent, elles aussi, la lumière et la gloire : elles sont célébrées au mois d'août. Il s'agit du souvenir de la Transfiguration du Christ, le 6 août, puis, le 15 a lieu la fête traditionnelle de l'Assomption de la Vierge Marie (Le Nouveau Testament ne relate pas ce miracle).

Lorsque Jésus fut transfiguré « devant trois de ses disciples : son visage resplendit comme le soleil... ses vêtements devinrent blancs comme la lumière... Une nuée lumineuse mit (ses disciples) sous son ombre ». Une voix retentit, reprenant les paroles entendues lors du Baptême du Christ : « Voici mon Fils bien-aimé »... (cf. Mt. XVII, 1-8). La liturgie de ce jour cite un texte de la lettre aux Philippiens pour rappeler que Jésus-Christ, notre Sauveur attendu à la fin des temps « transfigurera notre corps de misère pour le conformer à sa propre gloire » (Philip. III, 21). Ce texte et d'autres encore ont sans doute engagé l'Église à croire que le corps immaculé de la Vierge Marie ne pouvait avoir connu la corruption du tombeau. C'est ainsi que fut promulgué le dogme de son Assomption qui ne faisait que ratifier une croyance commune à beaucoup de catholiques. Ainsi, une des lectures de la messe de ce jour dit, en citant l'Apocalypse : « Un signe grandiose apparut au ciel : c'est une femme ! Le soleil l'enveloppe » (Apoc. XII, 1). Le Pape Jean-Paul II, lors de son pèlerinage à Lourdes en 1983 interpréta cette vision en l'appliquant à la Vierge Marie. Il dit : « Une femme a pour manteau le soleil de "l'inscrutable" Divinité. Le soleil de l'impénétrable Trinité... elle est pleine de grâce... pénétrée par la Divinité »... Du reste, lors de son cantique : le « Magnificat » la Vierge elle-même avait dit : « Toutes les générations me proclament bienheureuse car celui qui est puissant a fait pour moi de grandes choses. »

La question du soleil et du culte dont il fut l'objet parmi les nations nous a forcément engagés à parler de la liturgie dont les célébrations annuelles (les fêtes) et quotidiennes (les prières) dans les trois Traditions monothéistes, sont liées au rythme de notre univers.

La lumière dans les traditions bibliques et coraniques

Il nous appartient maintenant de rappeler les manifestations de la gloire de Yahvé et de la lumière dans l'Ancien Testament : selon celui-ci, les interventions divines se produisent souvent sous forme de feu et de lumière. On a vu plus haut, que la nuée lumineuse guidait la marche des Hébreux, la nuit, dans le désert. La promulgation de la Loi au Sinaï se fit dans l'éclat des éclairs accompagnés des tonnerres et d'une épaisse fumée. (Celle-ci, en contraste avec les phénomènes lumineux qui la précédèrent, figure, d'après plusieurs auteurs, l'expérience que fit Moïse de l'incompréhensibilité de Dieu) (Ex. XIX, 16). Lorsque Moïse monta une seconde fois sur la montagne, « la gloire de Yahvé s'y établit... (elle) revêtait aux yeux des enfants d'Israël, l'aspect d'une flamme dévorante » (Ex. XXIV, 16-17). Plus tard, Moïse, sur l'ordre de Dieu fit construire le Tabernacle ou arche d'alliance pour y placer les Tables de la Loi et, enfin « la tente de réunion ». Le tabernacle est nommé *mishkan* (la racine hébraïque : *sh-k-n* signifie : « habiter ») : c'est là où Dieu réside.

Vers 950 (avant J.-C.), Salomon construisit le Temple où fut transférée l'arche d'alliance. Quand il fut achevé, « la gloire de Yahvé remplissait le Temple de Yahvé » (I Rois VIII, 11 ; II, Chron. V, 11 ; VI, 1).

L'hébreu *kabod* traduit par « gloire » provient d'une racine qui implique l'idée de lourdeur, de poids et, de là, ce qui procure de la considération : richesse, faste, pouvoir. La gloire de Yahvé, en laquelle Yahvé habite est, ici-bas un phénomène lumineux ; « une épiphanie », une manifestation de la puissance et de la majesté divines. La tradition juive a adopté le mot araméen : *shakina* pour signifier la présence lumineuse de Dieu. Cette expression, dérivée de la racine *sh-k-n*

153

(habiter) ne se trouve pas dans la Bible. Il convient de remarquer ici que Jean, dans le Prologue de son évangile, utilise le mot grec *skèno* pour dire que « le Verbe a habité, demeuré, parmi nous » ; il ajoute : « et nous avons vu sa gloire ».

D'après les évangiles synoptiques [51], on verra, à la fin du monde « le Fils de l'homme (Jésus) venir sur les nuées du ciel avec puissance et grande gloire ». Matthieu décrit le Jugement dernier en disant : « Quand le Fils de l'homme viendra dans sa gloire, escorté de tous les anges, alors il prendra place sur son trône de gloire » (Mt. XXV, 31). Deux autres textes (Mt. XVI, 27 et Mc. VIII, 38) associent les anges à cette gloire céleste qui illuminera la Ville éternelle, Jérusalem, entrevue et décrite par l'Apôtre Jean dans l'Apocalypse. (Voir plus loin p. 170).

L'expression arabe : *sakina* (hébreu : *shakina*) revient plusieurs fois dans le Coran pour signifier une certaine présence d'Allah sous la forme glorieuse d'une assistance par l'intermédiaire des anges combattants ou, simplement une manifestation destinée à affermir la foi des croyants [52].

En plus de ces manifestations divines glorieuses et transitoires et de ces fêtes annuelles célébrées par l'Église catholique durant lesquelles des épisodes de la vie du Christ sont le plus souvent rappelés, comme autant de fête de la lumière apportée par le Christ en ce monde et après avoir essayé de montrer l'importance de la lumière en tant que symbole de réalités spirituelles et fécondes, dans la Bible et le Coran, nous devons préciser la signification, le contenu du mot « Révélation » (dévoilement, apocalypse) et l'essentiel des vérités qui nous sont transmises par les livres inspirés.

---

51. Mt. XXIV, 30 ; Mc. XIII, 26 ; Lc. XXI, 27.
52. Voir la note sur Cor. II, 248 ; trad. Pléiade, p. 798.

Ceux-ci contiennent des lumières sur Dieu lui-même, dans la mesure où l'homme peut le connaître ici-bas et sur les obligations religieuses et morales imposées aux croyants. A ce double titre, et selon des modes différents, La Bible et le Coran sont considérés comme des lumières.

Lumière et Révélation (les livres)

La Révélation, parachevée dans le Nouveau Testament, s'adresse à l'intelligence guidée par l'Esprit Saint ; elle est un enseignement mis à la portée du croyant et une « Sagesse » qui dirige ses actions. Cet enseignement, rendu de plus en plus explicite au cours des siècles sous l'impulsion du magistère de l'Église, est ainsi mis à la portée d'un plus grand nombre d'hommes, à travers des langues et des cultures différentes. L'homme ne peut connaître Dieu tel qu'il est en soi. Dieu seul se connaît lui-même. L'homme ne peut concevoir l'infini. Dieu « habite une lumière inaccessible » que nul d'entre les hommes ne peut voir (I Tim. VI, 16). On lit de même dans le Coran (VI, 103) : « Les regards de l'homme ne l'atteignent pas. » Cependant, dit le Psalmiste : « Il est drapé de lumière comme d'un manteau » (Ps. CIV, 2). Le mystique répond : « Plus on s'approche de Dieu, plus on s'enfonce dans la ténèbre [53] » ; ce qui fait dire au Siracide en parlant de Moïse au Sinaï : « Dieu lui fit entendre sa voix et l'introduisit dans les ténèbres » (Eccli. XLV, 5). Dieu, d'après saint Thomas est « connu comme inconnu ». Telle est l'ambiguïté du mot « lumière » quand il s'agit des réalités divines par rapport à nous. Dieu est lumière en soi. Cet attribut lui appartient en propre ; cependant l'homme, en cette vie ne peut pressentir cette lumière que d'une façon très

---

53. Cf. Grégoire de Nysse : *Homelia XI in Canticum canticorum.*

éloignée. Saint Paul (cf. I Cor. XIII, 12) parle d'une connaissance de Dieu en cette vie, confuse, imparfaite ; nous connaissons Dieu comme dans un miroir (*in enigmate*), alors que la vie future réserve aux élus la vision de Dieu, face à face.

Voici ce que nous écrivions en 1958 [54] : « La raison peut démontrer l'existence de Dieu. Muhammad, après l'auteur du Livre de la Sagesse et Paul, voit, dans l'Univers des *signes* certains, des preuves de l'existence d'un Créateur ; seule une révélation d'ordre surnaturel pouvait renseigner l'homme avec suffisamment de certitude, sur les autres attributs de Dieu, lui faire connaître ses volontés, lui ouvrir les perspectives de la vie future »... Dieu, dit saint Thomas, « a destiné (ordinatur) l'homme à une fin qui dépasse les capacités de l'intelligence [55] ». Il était nécessaire que cette vocation, cette élection fût connue des hommes, afin que ceux-ci orientent en conséquence toute leur vie : c'est pourquoi Dieu a parlé aux hommes par l'intermédiaire des prophètes. Son intervention répond à un besoin profond du croyant. Dieu dit à Amos :

> « Voici que des jours viennent...
> où j'enverrai la faim dans le pays ;
> non pas une faim de pain, ni une soif d'eau
> mais celle d'entendre la parole de Yahvé.
> Alors ils fuiront d'une mer à l'autre,
> ils rôderont du nord au levant
> pour chercher la parole de Yahvé
> mais ils ne la trouveront pas »...
>
> (Am. VIII, 11-12)

« La révélation est la manifestation d'une réalité qui restait jusqu'alors cachée, obscure ou inconnue. » Il est cependant nécessaire que l'homme soit prédisposé à l'accueillir. Le Christ lui-même dit, pour signifier que

---

54. Cf. *Monothéisme coranique et monothéisme biblique*, p. 226.
55. S. Th. Ia, I, 1c.

la compréhension de la Parole se situe au-delà du langage : « Que celui qui peut comprendre, comprenne » (*qui potest capere capiat*) (Mt. XIX, 12) ; et, ailleurs : « Je te bénis, Père, Seigneur du ciel et de la terre, d'avoir caché cela aux anges et aux habiles et de l'avoir révélé aux tout petits » (Mt. XI, 25 cf. Lc. X, 21-22). Ces paroles distinguent l'enseignement donné par le magistère, des illuminations intérieures dont peuvent bénéficier aussi bien, et même mieux que les savants, les humbles et les ignorants.

Le but de la Révélation est de faire passer les hommes des ténèbres de l'ignorance, pour employer le vocabulaire coranique, à la lumière envoyée par Dieu aux hommes disposés à la recevoir.

Tous les êtres humains craignent instinctivement la nuit. Celle-ci est pour beaucoup d'entre eux, le symbole des puissances maléfiques, les démons qui sont censés habiter les ténèbres. D'après la Genèse, les « ténèbres » constituent une entité à part, puisque Dieu, au début du monde, « sépara la lumière d'avec les ténèbres ».

Les catholiques de rite latin, répètent au début de l'office de Complies ces paroles extraites de la 1re Épître de Pierre : « Frères, soyez sobres et veillez. Votre ennemi, le Diable, comme un lion rugissant, rôde, cherchant qui dévorer. Résistez-lui, fermes dans la foi »... A la fin de ce même office, le croyant implore la miséricorde divine en récitant l'hymne par laquelle il demande d'être délivré des phantasmes nocturnes.

Une autre hymne du IXe siècle formule cette prière :

> « Christ, lumière de mes ténèbres
> regarde-moi (qui suis) tombé
> dans la noire caverne
> ou l'abîme de mes péchés. »

(*Op. cit.* p. 285)

157

Cette crainte des attaques nocturnes des démons, rappellerait la tradition musulmane, selon laquelle le sommeil profond entraîne une impureté corporelle nécessitant des ablutions grâce auxquelles le croyant se retrouvera en état de pureté rituelle.

La Bible utilise diverses images pour stigmatiser le paganisme assimilé aux ténèbres. L'auteur du Psaume CVII, dit de ceux qui n'écoutent pas la parole de Dieu ou qui l'ont rejetée : avant de revenir au Miséricordieux, « ils erraient au désert, dans les solitudes... ils avaient faim et soif », ils vivaient dans la détresse et l'angoisse... ils demeuraient dans l'ombre et les ténèbres « captifs de la misère et des fers »...

Le prophète Isaïe a qui Dieu a dit : « Je ferai de toi la lumière des nations » (Is. XLIX, 6) compare, lui aussi, les ténèbres de l'incroyance ou de la révolte contre Dieu à une prison. Il entend alors ces paroles :

Moi, Yahvé, je t'ai appelé dans la justice,
je t'ai pris par la main et je t'ai formé,
je t'ai désigné comme alliance du peuple
et lumière des nations
pour ouvrir les yeux des aveugles
pour faire sortir de prison les captifs
et du cachot ceux qui habitent les ténèbres »...

(Is. XLII, 6-7)

Enfin, l'apôtre Paul assimile l'incroyance à une véritable mort quand il cite ce texte, emprunté sans doute à une hymne primitive :

« Éveille-toi, toi qui dors
lève-toi d'entre les morts
et sur toi luira le Christ. »

(Ephés. V, 14)

La révélation se définit donc comme un passage des ténèbres à la lumière. On lit plus haut (vts : 8-9) dans cette même Épître aux Éphésiens : « Jadis vous étiez ténèbres, mais à présent vous êtes lumière dans le Seigneur ; conduisez-vous en enfants de lumière car le fruit de la lumière consiste en toute bonté, justice et vérité. » L'apôtre Pierre, s'adressant aux nouveaux chrétiens évoque « Celui qui les a appelés des ténèbres à son admirable lumière » ; puis il leur dit : « Vous êtes maintenant une race élue, un sacerdoce royal, une nation sainte »... (Cf. I. Pr. II, 9 et plus haut p. 97).

L'Épître aux Colossiens nous donne la raison de cette transformation en disant : « Dieu nous a, en effet arrachés à l'empire des ténèbres et nous a transférés dans le royaume de son Fils bien-aimé » (Col. I, 13). Paul rappelle une autre fois qu'il a été envoyé aux « païens »... « pour leur ouvrir les yeux afin qu'ils reviennent des ténèbres à la lumière et de l'empire de Satan à Dieu »... (cf. Actes, XXVI, 17-18).

Les incroyants sont encore comparés à des aveugles ; mais Dieu dit à son prophète Isaïe :

> « Je ferai marcher les aveugles sur la route
> et les acheminerai par des sentiers.
> Je changerai devant eux les ténèbres en lumière. »
>
> (Is. XLII, 16)

Cette dernière ligne, appliquée à ceux qui, en ce monde sont privés de la vue, figure au fronton de la chapelle de l'Institut des jeunes Aveugles à Paris, comme une promesse de l'illumination qui les attend dans l'au-delà.

En arabe, l'aveugle est appelé « clairvoyant » (*baçir*). Cet euphémisme est particulier à la langue populaire ; ce mot évoque, dans le Coran, la vision intérieure, la clairvoyance qui perçoit les réalités cachées (spirituelles). Dieu voit tout : il est « le clairvoyant » par excellence. Cette expression fait partie des 99 noms d'Allah.

La Révélation, on l'a dit plus haut, fait sortir les incroyants des ténèbres pour les introduire dans la lumière. Cette idée revient plusieurs fois dans le Coran. On sait que le temps de l'ignorance (*jahiliya*) assimilé aux ténèbres, englobe toute l'époque antéislamique. Les Musulmans considèrent leur religion comme étant parfaite, définitive ; car elle est la dernière en date des religions se réclamant de la foi d'Abraham et qu'elle est appelée à se développer aux dimensions du monde. On lit dans le Coran :

> C'est lui (Allah) qui a envoyé son Prophète
> (Muhammad)
> avec la Direction et la Religion vraie
> pour la faire prévaloir sur toute autre religion.
> (Cor. IX, 33...)

Elle serait donc, par excellence : « La Religion de Dieu » (Cor. XXIV, 2).

La Sourate intitulée « La Lumière », contient en un seul verset, l'essentiel, le résumé de ce que le croyant doit savoir au sujet de la Révélation : Allah est lumière et il éclaire les hommes en leur envoyant le Prophète Muhammad : « brillant luminaire » qui transmet à l'humanité la Parole divine pour guider les intelligences et montrer « la voie droite ».

Voici le verset en question :

> Dieu est la lumière des cieux et de la terre ;
> Sa lumière est comparable à une niche
>   où se trouve une lampe.
> La lampe est dans un verre ;
> le verre est semblable à une étoile brillante.
> Cette lampe est allumée à un arbre béni :
> l'olivier qui ne provient
>   ni de l'orient, ni de l'occident
> et dont l'huile est près d'éclairer
> sans que le feu la touche.
> Lumière sur lumière !
> Dieu guide vers sa lumière qui il veut.

Dieu propose aux hommes des paraboles,
Dieu connaît toute chose.

(Cor. XXIV, 35)

Les commentateurs appliquent généralement, à la prophétie l'ensemble des images évoquées dans ce verset. Allah, d'après Baïdawi a créé la lumière qui éclaire le monde matériel ; lui-même est lumière (*nour*) ; il produit l'illumination intérieure (*baçira*) transmise aux hommes par l'intermédiaire des anges et de l'inspiration accordée aux prophètes afin que, ceux-ci, à leur tour deviennent lumière et direction pour les croyants. Ainsi « Allah est la lumière des cieux » (où résident les anges et où sont appelés les élus après leur mort) « et de la terre » (c'est-à-dire des hommes sur lesquels la révélation est « descendue »). « Sa lumière est comparable à une niche » (creusée dans un mur) « où se trouve une lampe » (la lumière de la prophétie est reçue d'une façon passive dans le cœur du Prophète, comme en un réceptacle ; la niche est un symbole féminin). « La lampe » (qui porte la lumière de la prophétie) « est dans un verre semblable à une étoile brillante » (le Prophète guide les croyants). L'huile produite par un arbre béni et symbole de la sagesse, ne provient « ni d'orient, ni d'occident » : créée directement par Dieu, elle brille par elle-même ; le feu ne la touche pas. L'expression « lumière sur lumière » tient lieu, sans doute, de superlatif. « Dieu guide vers sa lumière (l'Islam) qui il veut » (la foi est un don gratuit [56]). On savait déjà que Dieu a créé toute chose et qu'il est à l'origine de toute lumière.

Pour illustrer ce texte coranique, les Musulmans suspendent souvent une lampe à huile dans l'axe de la niche (*mishka*) montrant la direction de la Mekke vers laquelle le croyant est tenu de se diriger pour prier, quel que soit le pays où il se trouve : la ville sainte étant

---

56. Cf. D. Masson, *op. cit.* p. 253-254.

censée être le centre de la terre, le nombril du monde. Le dessin de cette *mishka* avec la lampe orne souvent les tapis de prière.

On lit encore dans le Coran (LXIV, 8) : (C'est Allah qui parle) : « Croyez en Dieu, en son Prophète et à la lumière que nous avons fait descendre. »

Les Musulmans croient que Dieu a dicté le mot à mot de ce qui est écrit dans le Livre sublime, inimitable, réplique de celui qui est gardé au ciel et qui contient la « Révélation » définitive. Ce Coran constitue une « preuve décisive » de l'intervention divine ; il est lui-même comparé à une « lumière éclatante » que Dieu a fait descendre sur les hommes. (Cf. Cor. IV, 174.) Ainsi il est dit aux nouveaux convertis du temps de Muhammad : « Une lumière et un Livre clair vous sont venus de Dieu (Cor. V. 15) ; « La lumière est descendue avec le Prophète » (VII, 157). Celui-ci se trouve, avec les croyants, « dans une lumière venue de son Seigneur » (XXXIX, 22). Il est encore : « témoin, annonciateur de bonnes nouvelles » ; « avertisseur » du Jugement dernier. (Cf. XXXIII, 45) ; par conséquent, « Celui à qui Dieu ne donne pas sa lumière, n'a pas de lumière » (Cor. XXIV, 40).

Cependant, les Musulmans, doivent considérer, que selon ce qui est écrit dans le Coran (XIV, 5), la sortie du peuple Hébreu de l'Égypte, sous la direction de Moïse était déjà une sortie « des ténèbres vers la lumière ».

Le Coran (Cf. II, 75, 79) accuse les Juifs et les Chrétiens d'avoir falsifié leurs propres Écritures ou d'en avoir caché une partie. Cependant, on y trouve cette affirmation : « Une direction et une lumière se trouvent dans la Tora et l'Évangile » (Cor. V, 44, 46)... « Le Livre avec lequel Moïse est venu est une lumière et une direction » (Cor. VI, 91).

Allah dit encore :

« Nous avons donné la Loi à Moïse et à Aaron
comme une lumière et un rappel
pour ceux qui craignent Dieu,
pour ceux qui craignent leur Seigneur en son Mystère
et qui sont émus en pensant à l'Heure (du Jugement).
(Cor. XXI, 48-49)

Après avoir essayé de montrer comment Dieu s'est manifesté aux hommes dès cette vie, « comme dans un miroir » ; dans un clair-obscur adapté aux faibles capacités humaines, il s'agit, en dernier lieu, de reprendre les textes destinés à faire présager aux croyants ce qu'ils trouveront dans la vie future : le face à face avec la Divinité dont parle saint Paul, c'est-à-dire la connaissance de Dieu, et, pour les Musulmans, un ensemble transposé, transfiguré, des biens et des plaisirs dont ils ont joui ici-bas.

Chapitre IV

La vie future

Le feu, comme on l'a vu plus haut figure les tourments de l'enfer. La lumière (essentiellement) et l'eau paraissent dans les textes qui essayent de nous faire pressentir quelque chose du bonheur réservé aux justes après leur mort. Le « Credo » fait dire au Chrétien : « J'attends la résurrection des morts et la vie future. » (Cette affirmation fait également partie de la foi musulmane.)

Comment évoquer ces réalités inconcevables pour la raison humaine, alors qu'elles constituent l'essentiel de la foi et surtout après avoir entendu l'avertissement de saint Paul : « Nous annonçons ce que l'œil n'a pas vu, ce que l'oreille n'a pas entendu, ce qui n'est pas monté au cœur de l'homme, c'est ce que Dieu a préparé pour ceux qui l'aiment » ? (Ce texte appartenant à la Ire Épître aux Corinthiens — II, 9 — a été repris par Boukhari dans un Hadith.) Il est permis, cependant, de chercher à connaître ce que les Anciens en ont pressenti : les images utilisées, les symboles le plus souvent rencontrés.

Le premier « jardin » dont il est question dans la Bible : le Paradis terrestre, l'Éden, où fut placé par Yahvé le premier couple humain, demeure, dans la mémoire des monothéistes, héritiers spirituels d'Abraham, le symbole même du bonheur, de la quiétude dans l'innocence des premiers temps de l'humanité. Ce souvenir reste vivant dans la tradition populaire.

Faisant allusion à des événements qui se passèrent environ trois mille ans plus tard, le Deutéronome laisse prévoir ce que sera la « Terre promise » à laquelle aspirait le peuple hébreu durant sa longue marche au désert : « Yahvé, ton Dieu te conduit vers un heureux pays, pays de torrents et de sources, d'eaux qui sourdent de l'abîme dans les vallées comme dans les montagnes, pays de froment et d'orge, de vigne, de figuiers et de grenadiers, pays d'oliviers, d'huile et de miel, pays... où tu ne manqueras de rien... Tu mangeras, tu te rassasieras et tu béniras Yahvé, ton Dieu en cet heureux pays qu'il t'a donné » (Deut. VIII, 7-10).

Plus tard encore, le prophète Ezéchiel, exilé à Babylone se livre à une description minutieuse du Temple qui devra être reconstruit (cf. chap. XL). Voici enfin en quels termes le prophète Isaïe entrevoit la Jérusalem nouvelle telle qu'elle sera restaurée. Yahvé dit :

« Voici que je vais poser tes pierres
sur des escarbouches
et tes fondations sur des saphirs.
Je ferai tes créneaux de rubis,
tes portes de cristal,
et toute ton enceinte de pierres précieuses. »
(Is. LIV., 11-12)

Jean, dans son Apocalypse (XXI, 11-27) reprend ces mêmes images somptueuses et colorées pour décrire la Jérusalem céleste, cité de paix, de bonheur et de gloire.

Ainsi, à travers toute l'histoire biblique : de la Genèse à l'Apocalypse, subsiste, d'une façon plus ou moins voilée, le désir d'un retour vers Dieu ; l'attente d'un bonheur futur se situant dans un « jardin »

(Paradis) ou une cité dont la Jérusalem terrestre n'est qu'un symbole.

Le mot « Paradis » ne paraît que trois fois dans le Nouveau Testament ; celui-ci lui préfère l'expression « Vie éternelle » que l'on retrouve souvent. Le Coran emploie le mot *firdaous*, de la même origine persane que « Paradis », et aussi le mot « Éden » ; mais on rencontre plus souvent le synonyme « jardin » (janna) au singulier et au pluriel.

L'Ancien Testament et le Coran laissent concevoir la pérennité d'une vie future qui ne connaîtrait pas de fin ; mais la notion d'éternité n'y est pas mentionnée. Voici, en résumé, comment les docteurs de l'Église ont essayé d'aborder cette question profondément obscure : Dieu est l'Être par excellence ; il n'a pas eu de commencement et il n'aura pas de fin. Le concept d'éternité ne peut s'appliquer qu'à lui seul. L'idée de l'abolition du temps, d'un présent continu, là où il n'y a plus ni « avant » ni « après » est impensable. Les anciens philosophes grecs : Platon, Aristote, ont abordé cette question, d'autant plus difficile et abstraite pour eux que leur « univers » se limitait à ce qu'ils voyaient. Depuis, les savants ont étudié la relativité du temps sans que personne ne puisse vraiment comprendre la définition proposée par Boèce et adoptée par saint Thomas : « L'éternité est la possession entière, parfaite et simultanée d'une vie sans terme. » La vie implique mouvement et transformation alors que Dieu est immuable. Le mot « vie » appliqué à Dieu n'a pas le même contenu que s'il est appliqué à un être créé, à ce qui a un commencement et aura une fin ; et, cependant, l'attribut « le Vivant » appartient par excellence à Dieu qui « vit » dans le Mystère de l'Unité de sa substance et la Trinité de ses Personnes.

Les êtres humains sont invinciblement et obscurément attirés vers cette Réalité : tous aspirent au bonheur, même s'ils se trompent sur la valeur du bien qui pourrait seul les combler, c'est-à-dire Dieu : fin dernière de tout le créé comme il en a été le commencement. La Bible et le Coran sont d'accord pour déclarer que tout vient de Dieu, en tant que Créateur, et retourne à lui, en tant que fin dernière. Le Pseudo-Denys (*op. cit.* p. 101) écrit : « Le Beau se confond avec le Bien car, quel que soit le motif qui meut les êtres, c'est toujours vers le Beau et Bien qu'ils tendent, et il n'est rien qui n'ait part au Beau et Bien »... Ailleurs (*Hiérarchie céleste*, p. 209) le même auteur nous dit que les puissances célestes, auxquelles se joindront les élus du Paradis, « se repaissent de la contemplation de cet Être suressentiel et triplement lumineux qui est l'origine et le principe de toute beauté ».

Le premier témoignage biblique et précis de la croyance à la résurrection des morts se trouve dans le IIe livre des Maccabées (VII, 9) relatant le martyre des sept frères, au IIe siècle avant notre ère.

Cependant, le prophète Daniel semble avoir prédit la résurrection des morts et une vie dans l'au-delà, lorsqu'il dit : « Un grand nombre de ceux qui dorment au pays de la poussière s'éveilleront, les uns pour la vie éternelle, les autres pour l'opprobre, pour l'horreur éternelle. Les doctes resplendiront comme la splendeur du firmament, et ceux qui ont enseigné la justice à un grand nombre, comme les étoiles, pour toute l'éternité » (Dan. XII, 2-3). D'autres écrits de l'Ancien Testament, et, notamment les Psaumes, évoquent des images qui pourraient, d'une façon plus ou moins voilée, s'appliquer à la vie future : on les retrouve, du reste, dans l'Apocalypse de Jean, revêtues d'applications plus précises à la vision béatifique.

Le Psalmiste dit à Dieu (verset déjà cité plus haut p. 29) ; XXXVI, 10) : « Dans ta lumière, nous verrons (ou : nous *voyons*) la lumière. » Les Chrétiens estiment que cette lumière est Dieu lui-même, contemplé, suivant l'expression de saint Paul (I Cor. XIII, 12) dans « le face à face » éternel ; lorsque les élus seront, en quelque sorte : « participants de la nature divine » (*naturæ divinæ consortes ;* II Pr. I, 4). Cette interprétation justifie l'emploi du verbe « voir » au futur, comme le fait la Vulgate suivie par saint Thomas, alors que le présent : « nous voyons » est sans doute fidèle au texte originel.

Jésus, d'après Jean (XVII, 3) définit la béatitude dernière lorsqu'il dit en s'adressant à son Père : « La vie éternelle, c'est qu'ils (les élus) te connaissent, toi, le seul Dieu véritable »... D'après la doctrine chrétienne, le bonheur futur consiste essentiellement dans la vision, dans la connaissance de Dieu : connaissance amoureuse et savoureuse : « Joie, dit saint Augustin (Confessions X, 23), provoquée par la possession de la Vérité : *Beatitudo est gaudium de Veritate* ».

Saint Thomas écrit : « La dernière et parfaite béatitude ne peut être que dans la vision de l'essence de Dieu... La béatitude, pour être parfaite, demande que l'intellect atteigne à l'essence même de la cause première. Ainsi il obtiendra sa perfection par son union à Dieu, comme à son objet, dans lequel seul consiste la béatitude de l'homme [57]. »

Le même auteur avait précisé plus haut sa pensée en disant : « L'intellect créé ne peut voir Dieu (dans son essence) tel qu'il est, que si Dieu, par sa grâce, s'unit à lui en tant qu'objet (réalité différente de lui) devenue intelligible pour lui... Il faut donc, qu'une disposition surnaturelle s'ajoute à l'intellect pour qu'il l'élève à un tel état... Il faut que, par la grâce divine, la faculté intellectuelle soit accrue. Nous appelons cet accroissement : *illumination* de l'intellect. » L'Apocalypse (XXI, 23) parle de cette lumière en disant : « La clarté de Dieu l'illuminera » : elle illuminera la société des

---

57. S. Th. Ia, IIae, III, 8c.

bienheureux qui verront Dieu. D'après la 1re Épître de Jean (III, 2) : « Lorsque (Dieu) apparaîtra, nous serons semblables à lui et nous le verrons tel qu'il est [58]. »

Le Prophète Isaïe semble déjà avoir espéré une vie future : il écrit : « Yahvé fera disparaître pour toujours la mort » (Is. XXV, 8) ; et ailleurs, il rapporte ces paroles adressées par Dieu au juste :

> « Tu n'auras plus le soleil comme lumière le jour,
> la clarté de la lune ne t'illuminera plus.
> Mais Yahvé sera ta lumière éternelle
> et ton Dieu sera ta beauté. »
>
> (Is. LX, 19)

Jean, dans son Apocalypse (XXII, 5) reprend des termes analogues, lorsque, décrivant la Jérusalem céleste il dit : « Il n'y aura plus de nuit ; (les serviteurs de Dieu) se passeront de lampe ou de soleil pour s'éclairer, car le Seigneur Dieu répandra sur eux sa lumière, et ils régneront pour les siècles des siècles [59]. »

D'autre part, d'après le prophète Isaïe, et par contraste avec la vie au désert, les Hébreux, arrivés dans la Terre Promise « ne seront plus en butte au vent brûlant ni au soleil ». (Is. XLIX, 10). De même les élus du Paradis coranique « n'auront à subir ni soleil ardent, ni froid glacial » (Cor. LXXVI, 13).

Le Paradis, tel qu'il est décrit dans le Coran semble réunir, en les transposant, tous les bonheurs possibles dont l'homme jouit ici-bas. Cependant, plusieurs textes concernant le bonheur suprême, font état d'une présence divine, d'une « rencontre » : le jour de l'entrée des élus au Paradis sera celui où « Ils rencontreront Dieu » (Cor. XXXIII, 44). En effet : le désir

---

58. S. Th. Ia, XII, 4c, 5c.
59. Cf. Apoc, XXI, 23 ; I Hén. XCII, 4.

du croyant « qui aura uniquement recherché la Face de son Seigneur le Très-Haut... sera comblé » (Cor. XCII, 20-21). Il est dit, au sujet des élus :

> Dieu est satisfait d'eux,
> ils sont satisfaits de lui :
> voilà le bonheur sans limites.

> (Cor. V, 119)

Allah dira, en s'adressant au juste :

> « O toi, âme apaisée !
> Retourne vers ton Seigneur
> satisfaite et agréée.
> Entre donc avec mes serviteurs,
> entre dans mon Paradis »

> (Cor. LXXXIX, 27-30)

Enfin voici un verset dont l'interprétation intéresse notre sujet :

> La très belle récompense
> — et quelque chose de plus encore —
> est destinée à ceux qui auront bien agi.

> (Cor. X, 26)

D'après les commentateurs musulmans, ce « surplus » ce complément de bonheur (*ziyada*) devrait s'entendre comme étant la vue de Dieu. Celle-ci peut alors paraître comme complémentaire, en Islam, alors que la connaissance de Dieu dans la vie future est considérée, par les Chrétiens comme étant primordiale, essentielle à la Vie de l'au-delà. Cependant, on trouve dans le Coran, et d'après les commentateurs, une allusion à cette lumière qui, après avoir dirigé les croyants en cette vie les conduira jusqu'au Paradis, au milieu de « jardins où coulent les ruisseaux » :

Leur lumière courra devant eux et à leur droite.
Ils diront :
« Notre Seigneur !
Parachève pour nous notre lumière,
pardonne-nous ! »

(Cor. LXVI, 8)

Après avoir parlé de la vie future dans la lumière :
celle-ci étant le symbole le plus approché du bonheur
futur, nous verrons quels sont les éléments terrestres
utilisés comme des images pouvant être transposées sur
le plan de la vie future. L'élu trouvera dans la vie qui
ne finira pas, un rassasiement parfait de tous ses désirs
et ses aspirations les plus profondes. On lit dans le
Coran : « (Les élus) jouiront pour toujours de ce
qu'ils désirent » (Cor. XXI, 102).

Jésus, on l'a vu plus haut (p. 28-29), promet de
« l'eau vive » à la Samaritaine rencontrée auprès du
puits de Jacob. Il ajoute :

« Quiconque boit de cette eau
aura soif à nouveau ;
mais qui boira de l'eau que je lui donnerai
n'aura plus jamais soif ;
l'eau que je lui donnerai
deviendra en lui
source d'eau jaillissante en vie éternelle. »

(Jn. IV, 13-14)

Cette promesse sera pleinement accomplie au Paradis où les élus trouveront une « source de vie » dans la
Jérusalem céleste : « L'Agneau qui se tient au milieu
du trône les conduira aux sources de la vie » (Apoc.
VII, 17 ; XXII, 17...)

Jésus affirme encore : « Je suis le pain de vie. Qui
vient à moi n'aura jamais faim »... L'élu jouira au
Paradis d'une nourriture spirituelle procurée par
« l'Arbre de Vie », souvenir du Paradis terrestre : la

septième et dernière des « Béatitudes » promises dans l'Apocalypse de Jean (XXII, 14). Jésus insiste : « Qui croit en moi n'aura jamais soif » (Jn. VI, 35).

Isaïe avait déjà dit, en s'adressant au juste, et, comme s'il pressentait quelque chose de la cité future :

> ... « Tu seras comme un jardin arrosé,
> comme une source d'eaux
> dont les eaux sont intarissables »...
>
> (Is. LVIII, 11)

Ceci rappellerait encore la vision d'Ezéchiel (XLVII, 1-12) rapportée plus haut (p. 27), selon laquelle la source sortie du Temple s'est transformée en un fleuve rempli de poissons (l'eau est donc féconde) ; bordé d'arbres fruitiers « dont le feuillage ne flétrira pas et dont les fruits ne cesseront pas ». Cette image est reprise par l'apôtre Jean quand il décrit « le fleuve de vie, limpide comme du cristal, qui jaillissait du trône de Dieu et de l'Agneau... De part et d'autre du fleuve, il y a des arbres qui fructifient douze fois, une fois chaque mois ; et leurs feuilles peuvent guérir les païens » (Apoc. XXII, 1-2).

L'eau, sous forme de fleuves, de ruisseaux, de sources est abondante dans le Paradis coranique. Elle signifie, pour les gens du désert, l'apaisement de la soif, le repos et la paix. Les Anges accueilleront les élus en leur disant : « La paix soit sur vous : *al salam alaykoum* » (Cor. XVI, 32)... La variété des biens de toute sorte offerts aux élus se résume ainsi :

> Les croyants qui auront accompli des œuvres bonnes seront dans les parterres fleuris des Jardins.
> Ils obtiendront, auprès de leur Seigneur,
> tout ce qu'ils voudront.
> Voilà la grande faveur.
>
> (Cor. XLII, 22)

Le Coran cite le contenu des quatre sortes de fleuves dont les justes jouiront dans la vie future. (On se souvient des quatre fleuves du Paradis terrestre) :

> Voici la description du Jardin promis
> à ceux qui craignent Dieu :
> Il y aura des fleuves dont l'eau est incorruptible,
> des fleuves de lait au goût inaltérable,
> des fleuves de vin, délices pour ceux qui en boivent,
> des fleuves de miel purifié...
>
> (Cor. XLVII, 15)

La Terre promise autrefois aux Hébreux, est décrite dans le Pentateuque, comme étant « un pays de sources d'eau... de froment... de vigne... d'huile et de miel » : ces cinq produits rappellent les quatre sortes de fleuves du Paradis coranique.

Le Prophète Joël reprend, en faisant allusion à l'entrée des Hébreux dans la terre promise :

> Ce jour-là,
> les montagnes dégoutteront de vin nouveau
> les collines ruisselleront de lait
> et dans les torrents de Juda
> les eaux ruisselleront.
>
> (Joël, IV, 18 ; cf. Amos, IX, 13)

D'après Josué ben Lévi (IIIe siècle) les élus trouveront au Paradis quatre ruisseaux où coulent respectivement du lait, du vin, du baume et du miel. La tradition juive, comme on l'a vu plus haut, enseigne que la Tora est, dès ici-bas, non seulement une lumière, mais encore un breuvage et une nourriture comparables à ces cinq substances : eau, vin, huile, miel et lait (voir la note sur : Cor. XLVII, 15, éd., « Pléiade »).

On lit dans la lettre du Pseudo-Denys à Titos (*op. cit.* p. 357) : « Les paroles intelligibles de Dieu sont comparées à la rosée (Cf. le Cantique de Moïse : Deut.

XXXII, 2), au lait, au vin et au miel parce qu'elles ont, comme l'eau, le pouvoir de faire naître à la vie ; comme le lait, celui de faire croître les vivants ; comme le vin, celui de ranimer ; comme le miel, celui, tout à la fois de les guérir et de les conserver ». Ceci rappelle les effets de la Sagesse, transmise à l'homme par Dieu, et de la Tora, tels qu'ils sont décrits dans le Livre de l'Ecclésiastique (XXIV, 23-29, voir plus haut p. 28). (On raconte que Dionysos faisait sortir des rochers : de l'eau, du vin, du lait et du miel.)

Avec ces fleuves extraordinaires, les élus trouveront aussi dans le Paradis coranique, des sources. Allah leur dit :

> Les serviteurs de Dieu boiront à des sources
> que nous ferons jaillir en abondance...
>
> (Cor. LXXVI, 6)

Mais encore :

> On leur donnera à boire un vin rare, cacheté
> par un cachet de musc...
> et mélangé à l'eau de Tasmim,
> une eau qui est bue par ceux qui sont proches de Dieu.
>
> (Cor. LXXXIII, 25-28)

Voici maintenant quelques détails relatifs aux arbres et aux fruits : il est question, dans la Sourate LV (cf. 48, 50, 68), de « deux jardins pleins de floraison... où coulent deux sources... où il y aura toutes les espèces de fruits... des palmiers, des grenadiers...

> (Les élus) se tiendront au milieu
> de jujubiers sans épines
> et d'acacias bien alignés.
> Ils jouiront de spacieux ombrages,
> d'une eau courante
> de fruits abondants...
>
> (Cor. LVI, 28-32)

Ses ombrages seront à proximité
et ses fruits inclinés très bas pour être cueillis.

(Cor. LXXVI, 14)

Le Paradis, tel que le Coran le décrit est « une grâce du Seigneur » ; « un bonheur sans limites » ; « celui qui sera introduit au Paradis aura trouvé le bonheur » : « la demeure de la stabilité » ; « le Jardin d'éternité » car les croyants qui y sont introduits ne connaîtront plus la mort :

Dieu a promis aux croyants et aux croyantes
des jardins où coulent les ruisseaux.
Ils y demeureront immortels.

(Dieu) leur a promis d'excellentes demeures
situées dans les jardins d'Éden.

La satisfaction de Dieu est préférable :
Voilà le bonheur sans limites !...

(Cor. IX, 72)

Oui, ceux qui craignent Dieu
demeureront dans des jardins
au bord des fleuves
dans un séjour de Vérité
auprès du Roi Tout-Puissant.

(Cor. LIV, 54-55)

La place très importante réservée par le Coran à la vie future (« l'autre vie », en comparaison avec la vie de ce « bas monde ») apparaît dans les pages que l'on vient de lire.

Les premiers auditeurs du Prophète Muhammad, étaient en grande majorité des nomades. L'abondance de l'eau qui agrémentera le « Jardin » promis dans la vie future marque pour eux la fin du cauchemar de la soif : préoccupation primordiale et lancinante des gens du désert. Le Coran s'arrête longuement sur les descriptions de toutes les bonnes choses que les élus trouveront au Paradis, selon un mode tout à fait particulier ; une transposition des plaisirs d'ici-bas : joies des yeux, du goût, des sens, du repos sous de frais ombrages ou sur des lits d'apparat, des habits somptueux... De plus, on retrouve dans le Coran, quelques-uns des thèmes et des descriptions imagées qui, dans l'Ancien Testament s'appliquent à la Terre promise et que les Chrétiens, eux aussi, transforment en perspectives eschatologiques. Le Nouveau Testament, de son côté, à l'exception de l'Apocalypse ne s'arrête pas à détailler les éléments qui constituent le bonheur futur, puisqu'il le condense en cette définition reçue de la bouche du Christ lui-même, à laquelle il serait outrecuidant d'ajouter quoi que ce soit, mais qu'il est permis de commenter : la vie éternelle, le bonheur éternel est de « connaître Dieu ».

On retrouve dans le Coran des symboles déjà utilisés dans l'Apocalypse de Jean : les cours d'eau, les arbres fruitiers, les vêtements des élus : blancs, d'après Jean et tout en brocart, d'après le Coran. De plus, l'Apocalypse insiste sur la louange perpétuelle, les actions de grâce que les anges et les élus adressent à Dieu.

Malgré toutes les images utilisées et transportées, tant bien que mal, sur le plan eschatologique, on sait que nul langage, nulle expression artistique, nulle œuvre d'art ne peut donner une idée approchée de la félicité qui consiste en une éternelle participation à la vie même de Dieu.

Le symbole contient souvent une expression plus dense que les mots car il met en jeu toutes les facultés de l'homme. La lumière du soleil, par exemple est un moyen de prendre conscience du monde extérieur ; elle est aussi le symbole de la connaissance intellectuelle, spirituelle, intuitive. Malgré cela, l'homme passe sa vie ici-bas dans une obscurité relative, si on compare les « lumières » de ce monde à l'illumination dont jouiront les bienheureux dans une vie future qui ne finira jamais.

CONCLUSION

Cet ouvrage contient des aperçus rapides sur des questions qui ont été maintes fois étudiées par des spécialistes ayant acquis une vaste érudition. Combien de textes bibliques et coraniques, concernant notre sujet, retenus par les traditions, ont été passés sous silence ! Il fallait faire un choix parmi les richesses accumulées au cours des siècles.

La liturgie latine de la veillée pascale a été évoquée à plusieurs reprises car elle utilise le symbolisme attaché à l'eau, au feu, à la lumière suivant des modes hérités du Judaïsme et que l'Islam, avec les nuances qui s'imposent, ne saurait rejeter.

Le Christ s'est servi d'images empruntées à la vie de tous les jours pour enseigner les vérités les plus profondes. Il a institué les sacrements et non pas les rites. Ceux-ci remontent très haut dans le temps. L'Église a adopté ceux qui permettent à l'homme, dans la mesure où Dieu le lui permet et suivant sa propre volonté, d'approcher le Mystère impénétrable par des moyens plus simples, plus expressifs et plus universels que le langage lui-même. L'Église, par la grâce du Christ confère aux symboles des valeurs nouvelles : ils servent de signes et aussi, parfois d'instruments utilisés dans les sacrements. Ainsi le croyant applique à certaines matières, certains gestes, certains phénomènes naturels, des significations d'ordre spirituel et surnaturel.

Le Coran, lui aussi, transporte des « images » empruntées à ce « bas monde » pour décrire la vie future, c'est-à-dire : les délices que les justes retrouveront au Paradis et la Géhenne pour les damnés.

Le symbole est donc un moyen, on l'a déjà dit, propre à transmettre des messages spirituels à tous les hommes, quel que soit leur degré de science et de culture.

L'homme plus ou moins illettré qui vit en contact constant avec la nature, dans son milieu d'origine, comprend plus facilement que le « civilisé », grâce à la finesse de ses intuitions et à la fraîcheur de sa sensibilité, le symbolisme inhérant aux matières, aux gestes, aux phénomènes naturels qui lui sont familiers et auxquels un enseignement basé sur le donné révélé confère des valeurs religieuses. Ainsi la liturgie, fondée sur la parole et qui utilise aussi des signes, tels que l'eau, le pain, le vin, l'huile, le feu et la lumière et des gestes, est à la fois : prière, action de grâces et enseignement doctrinal.

Le croyant, israélite, chrétien ou musulman, a besoin, quand il pénètre dans un lieu de prière, de sentir un espace « sacré », c'est-à-dire, séparé, éloigné du « profane », réservé au culte du Dieu vivant.

L'aménagement lui-même de l'édifice est symbolique. Ainsi, les églises, et, d'une façon plus frappante, les cathédrales, offrent aux chrétiens un véritable enseignement. Les fonts baptismaux leur rappellent leur baptême ; le bénitier : la nécessité de la pureté du cœur pour celui qui s'approche de l'autel ; la lampe placée devant le tabernacle de la nouvelle alliance : la présence divine.

Enfin, il semble permis de terminer ce livre en rappelant que, dès les temps anciens, la « Divinité » a été pressentie comme étant la cause première universelle de l'être, du Bien et du Beau, on peut dire que le soleil, source de lumière, de chaleur et de vie est l'image la plus approchée du Créateur tout-puissant vers lequel tous les hommes sont plus ou moins consciemment attirés car tous aspirent au parfait bonheur que les croyants s'attendent à trouver en Dieu, quel que soit le nom qu'ils lui donnent et le mode selon lequel ils l'adorent dans le secret de son Mystère. Celui-ci sera enfin dévoilé dans la vie future mais dès cette vie, l'homme doit passer par l'eau et par le feu pour atteindre la lumière.

Table
des matières

Achevé d'imprimer le 4 janvier 1986
sur les presses de Normandie Impression S.A. à Alençon (Orne)

Imprimé en France

N° d'éditeur 86-1
Dépôt légal : janvier 1986